D0229264

Magie
des grands restaurants
d'Europe

Nicolas de Rabaudy

Magie
des grands restaurants
d'Europe

Hermé

1 - Paris

2 - Paris

3 - Paris

4 - Paris

5 - Paris

6 - Paris

7 - Veyrier du Lac, Annecy

8 - Illhaeusern

9 - Strasbourg

10 - Saulieu

11 - Joigny

12 - Reims

13 - Strasbourg

14 - Vonnas

15 - Montpellier

16 - Chagny-en-Bourgogne

17 - Monte-Carlo, Monaco

18 - Laguiole

19 - Collonges-au-Mont d'Or, Lyon

20 - Eugénie-les-Bains

21 - Roanne

22 - Düsseldorf

23 - Bergish Gladbach

24 - Baiersbronn

25 - Bruxelles

26 - Bruxelles

27 - Bruges

28 - San Sebastien

29 - Rosas

30 - San Celoni

31 - Soriso

32 - Canneto sull'Oglio, Mantoue

33 - Santa Agata, Salerne

34 - Londres

35 - Londres

36 - Bray-on-Thames

37 - Brent, Montreux

38 - Crissier, Lausanne

SOMMAIRE

*Pour Marie-Laure
et François-Xavier,
en souvenir du cher Edmond,
un ami pour l'éternité.*

Avant-propos gourmands

C'est ma chère mère née à Aix-en-Provence, élevée à Nice et montée à Paris par son mariage avec mon père toulousain, qui m'a insufflé le goût de la bonne chère et des joies intimes de la table. Se régalait-on chez elle ? Modérément, sauf quand on mettait les petits plats dans les grands.

Une vraie dilection pour les restaurants de France et d'Europe, l'âge venant, a suivi, consécutive à l'émergence de la cuisine dite nouvelle et de chefs innovateurs comme Michel Guérard, Alain Senderens, Alain Chapel, les Troisgros, Jean Delaveyne découverts et encouragés par deux chroniqueurs de talent Henri Gault et Christian Millau pour lesquels j'ai arpenté dans les années 80 quelques restaurants de la capitale.

Cela n'a fait qu'accroître ma préférence pour les plaisirs de bouche où le maniement de la fourchette s'accompagnait d'exercices de plume. Le parfum de l'encre n'a cessé de voisiner avec les effluves des fumets.

Ainsi devient-on gastronomade.

En 1975, sur les conseils de Jean-Paul Aron, auteur du *Mangeur du XIXᵉ siècle* (Laffont éditeur), qui avait été mon professeur de philosophie, j'entrepris pour l'éditeur Jean-Claude Lattès un tour de France des meilleurs restaurants, ceux à qui le guide Michelin accordait trois étoiles. Il me fallait un fil conducteur, un principe de sélection crédible et je fixais mon choix sur les verdicts, selon le mot de Georges Prade, de Bibendum dont les inscriptions lapidaires font autorité.

Allant de grandes tables en restaurants fameux, de Maxim's alors au sommet jusqu'à l'Oustau de Baumanière de Raymond Thuilier en passant par le Moulin de Mougins de Roger Vergé, la Tour d'Argent aux seize canards à la carte, Lasserre, phare de la restauration de luxe, la Bonne Auberge de Jo Rostang à Antibes et le Camélia à Bougival, je découvris le pur bonheur de voyager pour le seul plaisir des papilles et des beaux vins.

Je me forgeais un style de vie tissé d'émotions gourmandes, d'impressions et de souvenirs vifs comme une seconde nature, celle du gourmet en quête d'une sorte de perfection de l'assiette et du verre. Cela se trouve !

Pendant un quart de siècle, j'ai traqué la surprise, la préparation ou le plat enchanteurs et ma mémoire regorge de bouchées et de gorgées inoubliables. Oui, Georges Simenon est dans le vrai quand il affirme que la gastronomie, c'est le souvenir. Retrouver le goût, la saveur, l'ivresse d'un plat de jadis, le gâteau de foies de volaille au coulis d'écrevisses d'Alain Chapel, le saumon soufflé de Paul Haeberlin à l'Auberge de l'Ill, le homard cuit dans l'âtre de Michel Guérard, les légumes à l'huile d'olive d'Alain Chapel, la poularde truffée de Bernard Loiseau, les variations sur l'abricot de Roger Vergé à Mougins, le foie chaud au chou d'Alain Senderens et l'admirable gelée de caviar à la crème de chou-fleur de Joël Robuchon, voilà ce que j'ai tenté en visitant, les papilles en éveil, les grands restaurants qui ont marqué l'histoire de la cuisine, en France et au-delà des frontières.

Quel est le secret d'un plat parfait ? Pourquoi le bar au caviar des Lorain à Joigny, le bakeoffe de foie gras d'Émile Jung, les ravioli maternels d'Antoine Westermann à Strasbourg, la salade du père Maurice des Boyer à Paris, la tarte aux fraises de Guérard, le simple foie de veau de Bernard Pacaud à l'Ambroisie, le homard aux huiles douces de Passard à l'Arpège, le poulet de Bresse à l'ail et foie gras de Georges Blanc à Vonnas, pourquoi le divin omble chevalier de Marc Veyrat à

Annecy et l'aligot de Michel Bras à Laguiole sans parler de son foie chaud, vous bouleversent-ils ?

En vingt-cinq ans de pèlerinage, de gueulardise savante, je n'ai cessé de me poser la question : la sorcellerie existe-t-elle chez les grands cuisiniers ? Colette la Bourguignonne le disait.

En 1990, j'ai poussé au-delà des frontières, suivant les nouvelles adresses triplement étoilées du Michelin d'Europe. En dix ans, j'ai vu l'évolution des chefs et des restaurants anglais, italiens, allemands, suisses et espagnols : une véritable révolution du palais, un extraordinaire bond en avant des plaisirs et des raffinements de table.

Londres, un désert en 1980, est devenue une des capitales de la bonne chère - internationale. La Suisse a vu naître un maestro d'anthologie, Fredy Girardet, l'égal et l'ami de l'inégalable Robuchon, et son successeur à Crissier Philippe Rochat est devenu son alter ego.

L'Allemagne n'est pas en reste, un public de connaisseurs envahit les restaurants-phares qui ont suivi les leçons et les principes de Paul Haeberlin et des ténors de la cuisine française, souvent copiés.

L'Italie semble vivre une mue délicate entre les tentations modernes façon Pierre Gagnaire et le poids de la tradition familiale des trattorie. Gualtiero Marchesi a ouvert la voie, et l'émulation des chefs, la modernisation, la personnalisation des répertoires culinaires se font jour. Non sans une bouffée de fantaisies.

Mais c'est l'Espagne des provinces dont la Catalogne qui stupéfie le gastronomade. Derrière le pionnier Arzac à San Sebastian, deux magiciens de la poêle ont surgi, Ferran Adriá et Santi Santamaria qui nous en mettent plein la vue et les papilles. Des préparations à la fois simplissimes et ultra sophistiquées, une créativité de surdoués, une rigueur dans la présentation, l'esthétique et le fini des assiettes, tout cela mérite éloges et coups de chapeau.

L'Espagne fer de lance de la cuisine du troisième millénaire ? Qui aurait osé un tel pari en 1975 ?

Les fils qui ont succédé aux pères, dans les tables majeures de l'hexagone - et ailleurs, en Grande-Bretagne par exemple - peuvent méditer l'avancée de l'Espagne des nouveaux cuisiniers, impliqués dans la magistrale révolution du Sud. La cuisine moderne est sudiste, Ducasse l'a bien senti, relayé par bien des jeunes maîtres actuels. Mais le culte de l'huile d'olive n'est pas une fin en soi - Joël Robuchon l'avait indiqué en son temps.

Le chef moderne est l'auteur de sa cuisine. Il la signe. Et il n'y a pas que des créateurs innovateurs au piano. Il faut aussi de bons exécutants, fidèles au message, au respect du produit et attentifs à la cuisson juste.

Tout au long de ce savoureux périple en 38 étapes - les trois étoiles d'Europe en cette fin de siècle - j'ai essayé de mettre en valeur chefs et restaurateurs, de saisir les tenants et les aboutissants de leur style, de cerner leurs atouts, leurs spécialités en me mettant à l'écoute de leur langage culinaire. De la magie de chacun.

Je souhaite au lecteur gourmet le plaisir et les émotions que j'ai éprouvés dans chacune de ces maisons de bouche. Si l'appétit vient en lisant comme l'affirmait le regretté James de Coquet, je me dis que j'ai peut-être suscité et provoqué le désir d'accomplir tout ou une partie de ce voyage gourmand, une fête des sens et de l'esprit.

Nicolas de Rabaudy

Presse à canard chez Lucas Carton

Pour Georges Alnot

FRANCE / PARIS

Le défi de Paris, c'est comme ça que *Le Figaro*, en juin 96, qualifiait la prise de possession surprise par Alain Ducasse du restaurant 1900 tout proche du Trocadéro, cédé par Joël Robuchon, son rival et confrère au sommet de la hiérarchie des maîtres ès saveurs français. Une véritable bombe dans le ciel des étoilés, toqués et autres caciques de la restauration européenne.

Quoi, un chef déjà titulaire des trois étoiles, conquises au Louis XV à Monaco en mars 1990 - Alain Ducasse, le plus jeune capé de l'histoire, 33 ans - se permettait de succéder au plus prestigieux, au plus fameux maestro de la cuisine hexagonale et il prétendait conserver le niveau, le style, le luxe de l'établissement parisien, distant de mille kilomètres du rocher de Monaco - de la folie ! Deux très grandes tables à piloter de concert. La quadrature du cercle, du jamais vu.

Neuf mois plus tard, le restaurant Alain Ducasse de Paris recevait la triple couronne tant désirée, mais le Louis XV était rétrogradé, une sanction plus théorique que méritée : le Michelin rechignait à faire de Ducasse le premier chef de l'histoire à six étoiles. Et pourtant le guide rouge, si respecté, si craint, si suivi, a bien été contraint en 97 de modifier son système de cotation, déjà bousculé par l'ambassadeur Paul Bocuse ! Un restaurant peut offrir le meilleur du meilleur même si le chef-patron n'est pas présent aux fourneaux. Une évidence quand les brigades en toque comptent jusqu'à 20 cuisiniers et plus. Et des diplômés de tout.

Alain Ducasse

Le chef aux semelles de vent

Disons qu'il a fallu le génie de Ducasse et un siècle d'inspections pour que la direction générale de Bibendum en arrive là, à cette constatation. Le grand manitou, seul dépositaire du feu, des recettes et des techniques - façon Dumaine, Pic ou Thuilier - n'existe plus. Rien ne se fait dans un établissement haut de gamme sans les ressources humaines, le bagage, l'énergie, le talent et la créativité d'une équipe. Titillé sur ce sujet, le visionnaire Bocuse avait lancé : « Chez Ferrari, ce n'était pas Enzo Ferrari qui vissait les boulons des bolides ! » Aboli, le temps où les commis et seconds étaient des manchots !

Prendre la suite du génial Robuchon n'a effrayé Ducasse que la minute où il a accepté. « À trop réfléchir à la question, je me serai dégonflé. Je me suis jeté à l'eau. Et ça m'a plu car j'avais les hommes, l'équipe et la carte des mets en tête. » C'est alors que l'on a découvert que l'ancien second de Roger Vergé à Mougins, le disciple d'Alain Chapel à Mionnay (Ain) était un boulimique de travail (et de nourritures), un globe-trotter infatigable et un manager de la race des initiateurs. Voyager pour mieux cuisinier ! S'obliger à effectuer 250 allers et retours Paris-Nice, chaque année, était loin de l'effrayer : l'avion peut favoriser la gestation des idées et la méditation transcendantale !

Avisé, malin, et surtout très organisé, Ducasse installa dans les cuisines de l'avenue Raymond Poincaré le niçois Laurent Gras, un de ses seconds pendant dix ans à Monaco, féru de marches à pied et de périples en Asie. Un ténor d'une rigueur d'acier.

L'idée maîtresse était de se différencier du tout au tout du Louis XV, de la partition sudiste et italienne en privilégiant la grande tradition française, de Brillat-Savarin à Alain Chapel : faire revivre dans l'assiette le gâteau de foies blonds de poularde de Bresse mouillé de la sauce aux écrevisses pattes rouges, le gros turbot de Bretagne au four juste émulsionné aux crevettes bouquet, la poularde Albufera en vessie aux truffes blanches d'Alba, le vol-au-vent à l'ancienne riche de toutes ses garnitures, quenelles, ris, crêtes de coq, la sole au champagne, l'agneau de Pauillac à la broche et les légumes en cocotte, et le lard paysan à la couenne craquante quand on la mâche… Sans oublier la fondante coupe glacée café-chocolat, un chef-d'œuvre à damner un saint.

Bref, le grand style gourmand et savant qui a disparu avec Raymond Oliver, Maxim's, Lasserre, Fernand Point et quelques autres. Réveiller l'excellence française à nulle autre semblable, annulée, étouffée, oubliée par les petits messieurs de la cuisine moderne - ceux qui ignorent tout du navarin d'agneau, du bœuf en gelée et du beurre blanc aux échalotes grises… Souvenez-vous d'Alex Humbert, le sorcier de Maxim's du temps des Vaudable. Simplissime raisonnement : le restaurant Ducasse de Paris dans son écrin de boiseries brunes se veut une sorte de conservatoire culturel français où la tradition culinaire est l'atout majeur. Les mets ducassiens - modernisés - sont la mémoire de la France vue du côté de Carême, d'Ali Bab, de Nignon, de Pellaprat et d'Escoffier. Nul retour en arrière, encore moins de la nostal-

L'une des trois salles à manger du restaurant Alain Ducasse à Paris

FRANCE

Le dressage des plats par Jean-François Piège, chef du restaurant Alain Ducasse.

gie d'un « jadis » enluminé mais le temps retrouvé de la qualité française : nous avons encore de superbes produits, mettons-les en valeur de la plus noble façon, et le récital sera inoubliable. Unique. Qui tente cela en France ?

La vérité oblige à dire qu'il a fallu quelques mois pour faire décoller la machine Formule 1 de la gastronomie parisienne. Le Poitevin Robuchon parti vers d'autres cieux, Ducasse a été dans l'obligation de se remuer afin de glaner les clients huppés, les gourmets de la planète prêts à débourser plus de cent dollars pour le risotto aux truffes blanches d'Alba (12,5 grammes à 25 000 francs le kilo !). Des additions phénoménales - tout un déjeuner chez Taillevent pour le tarif d'un seul plat ducassien - il a fallu conjuguer un bon savoir-faire et un excellent faire-savoir… Le savoir-faire par son équipe n'a jamais été un problème : penché chaque matin sur un tas de curriculum vitæ, Ducasse recrute les meilleurs.

« Deux restaurants portent mon nom à Monaco et à Paris, c'est comme deux ateliers de haute cou-

ture, indique-t-il en humant une huile d'olive de Provence ; tout ce que je fais ailleurs est signé « by Alain Ducasse ». En général, je m'associe avec les gens qui en savent plus que moi. C'est le cas dans mon laboratoire de recherches avancées sur la cuisine et sur la formation des personnels. »

Le chef sommelier Gérard Margeon.

Depuis l'ouverture de son enseigne parisienne, le chef aux semelles de vent (J.-P. Quélin) n'a cessé d'aller de l'avant, d'inventer de nouveaux modules de restauration comme le Spoon à Paris, le Bar et Bœuf à Monaco, deux adresses singulières - vivantes, gaies - où l'on choisit un produit de base que l'on agrémente d'une sauce, d'une préparation, d'une garniture de son choix. La table moderne comme ferment de liberté, de vagabondage, de surprises… Tout sauf l'ennui et l'uniformité.

Pâtes mi-séchées et truffées aux ris de veau, crêtes et rognons de coq.

Qu'on se le dise, l'itinéraire ducassien est loin d'être achevé. L'homme Protée, avaleur de fuseaux horaires, bouillonne de projets et de concepts - son équipe de création compte une dizaine de cadres payés pour leur matière grise. Dormant peu, notant et téléphonant beaucoup, Ducasse est un homme d'envies, de challenges, de risques : il a côtoyé la mort à 28 ans, et tout ce qu'il vit aujourd'hui est supplément, cadeau du ciel. Rien ne l'arrête dans ses choix. Voyez ce dîner de 120 couverts à Bordeaux, en juin 99, pour Vinexpo au château Marquis de Terme. Il accepte ce contrat extérieur, ce qu'il ne fait jamais : pourquoi déplacer son équipe ? La réalisation de ce dîner d'exception va l'obliger à

tout transporter dans le chai-salle à manger : la vaisselle, les verres, l'électricité et « la roulante », plus dix cuisiniers et son chef sommelier Gérard Margeon. Un travail de titan couronné par deux plats inédits, jamais exécutés auparavant : une coupe de caviar à la crème de broccoletti et une crème de truffe chaude à la volaille. Superbes envolées !

À la fin des agapes, l'assistance médusée acclame le chef, se lève et applaudit dix bonnes minutes : la première « standing ovation » du landais, une date dans une vie de chef.

LANGOUSTINES
refroidies, nage réduite, caviar Osciètre

FOIE GRAS DE CANARD DES LANDES
cuit en feuilles de figuier, vieux vinaigre, poivre noir

TOMATE MARMANDE
*gratinée au parmesan,
séchée, marmelade de tomate-truffe*

BAR DE NOIRMOUTIER
Dugléré

FROMAGES
affinés pour nous

FRAISES DES BOIS
en coupe glacée, au fromage frais citronné

CONFISERIES ET FRIANDISES

Pâtes mi-séchées, crémées et truffées en ris de veau, crêtes et rognons de coq

Vol-au-vent aux cuisses de grenouilles

Turbot de Bretagne à la vapeur d'algues, jus émulsionné aux crevettes bouquet

Coupe café-chocolat, brioche toastée

Noble cuvée Lanson 88
Condrieu La Doriane 96, Guigal
Côte Rôtie La Turque 90

FRANCE / PARIS

À la mémoire de Robert Courtine

Qui parle de Bernard Pacaud en son fief de l'Ambroisie, place des Vosges ? Qui évoque son talent de chef classique et rigoureux formé par la mère Brazier à Lyon puis par le sorcier Claude Peyrot du Vivarois à Paris - le plus grand cuisinier du XXe siècle pour Robert Courtine ?

Mis à part CNN qui a relaté le dîner Chirac-Clinton de juin 96, le silence radio.

Il y a le cuisinier starisé par les trompettes de la renommée et les autres, comme le doux Pacaud quinquagénaire d'une noble discrétion dont la table est dans le style classique-raffiné, qui figurent dans les adresses secrètes du gourmet.

« Je m'efface, confie Pacaud, c'est l'Ambroisie que je veux mettre en avant. »

En 1993, dans la première édition des *Dîners de Rêve*, j'écrivais que l'Ambroisie, ouvert depuis décembre 1986, était le moins connu des trois étoiles de Paris et peut-être de France.
Cela tient à la nature profonde de son créateur, à sa réserve, à son humilité, ce qui n'exclut pas la passion pour son métier, l'art de plumer les gibiers par exemple, car le doux Pacaud, au physique râblé, est l'un des rares professionnels des casseroles à travailler le lièvre, le chevreuil et le perdreau déshabillés par la brigade - une rareté à notre époque.

C'est à l'Ambroisie que l'on peut se régaler de superbes pâtés chauds de canard à la Dumaine et de l'oreiller de la Belle Aurore, véritable architecture de viandes rouges et blanches, un plat de

l'Ambroisie

Bernard Pacaud, l'ermite de la place des Vosges

roi, tout comme le millefeuille de gibiers. Pacaud demeure l'un des derniers Mohicans de la haute cuisine à l'ancienne élaborée à la manière d'Escoffier, la légèreté en plus.

La carte, d'une lisibilité absolue dit bien la rigueur de l'homme en toque : quelque dix-huit plats, pas plus et une demi-douzaine de desserts alignés « telles les strophes d'un sonnet », dit Pierre le Moulac, le directeur de la salle et responsable des vins, un fin palais. Pas de fanfreluches, d'appellations bizarres, ni de trouvailles énigmatiques. Nul besoin d'un dictionnaire ni de palabres du personnel en smoking. On comprend tout, on choisit sans embarras, l'harmonie des préparations se fait lumineuse dès la première assiette - un filet de rouget escorté de carottes au cumin, simplissime mise en bouche. Là encore, un plaidoyer pour la clarté.

À la fin 97, l'Ambroisie s'est agrandi. Deux salles à manger aménagées façon florentine par le décorateur François-Joseph Graf auteur des travaux d'origine ; marbre au sol, tapisseries à l'ancienne, l'ambiance feutrée n'a créé de l'espace que pour une dizaine de clients supplémentaires. C'est peu. Mais l'œil est apaisé par le haut plafond, les boiseries blondes, les éclairages diffus et la sérénité qui se dégage de l'ensemble, en contrepoint de la place des Vosges, ce chef-d'œuvre préservé. Tout cela, ce look patiné d'hôtel particulier pour Fouquet ou Talleyrand Prince de Bénévent ne fait qu'accroître la félicité d'être ici pour une parenthèse de bonheur à table. Quelle frustration pour le gourmet insatisfait !

À déguster, la dariole de foie gras landais aux morilles fraîches, la feuillantine de langoustines aux grains de sésame sauce curry ou le blanc de turbot aux épices et sa mousseline d'artichaut, « trois must », on comprend que Bernard et Danièle Pacaud soient parvenus à forger un noyau de fidèles (80 %) qui forment l'essentiel de la clientèle. L'Ambroisie est un restaurant comme on en fait plus, adoré par de singulières fines bouches - Jean-Pierre Coffe par exemple. Seulement 18 000 couverts par an, l'un des chiffres de fréquentation les plus modestes d'Europe. D'où l'obligation pour le maître des casseroles de varier sa palette, et de renouveler sa carte, pas seulement lors des changements de saison. De

superbes assiettes comme la pastilla de thon aux abricots secs disparaissent ainsi, remplacées par d'exquises ravioles de cuisses de grenouilles « cressonnette », si les bestioles plaisent à l'exigeant Bernard.

Tout part du produit, on le sait. La musique personnelle du queux moderne s'écrit grâce à de belles poulardes de 2,4 kilos, à de gros turbots de six kilos, de côtes de bœuf de Salers, de homards bleus bretons et de caviar oscietre « gold » pour parfumer la sauce des filets de bar. L'angoisse du praticien moderne est là qui doit s'accommoder de la drastique réduction des cadeaux de la nature saccagée par le culte du profit et l'industrialisation agroalimentaire. C'était déjà la source de la déprime permanente de Fredy Girardet, le génial magicien de Crissier, près de Lausanne -

La nouvelle salle à manger de l'Ambroisie d'une élégante sobriété.

FRANCE

et ce qui l'a poussé à prendre une retraite anticipée. C'est la hantise des chefs d'aujourd'hui, le stress quotidien.

« La grosse volaille de Bresse se fait rare, note Bernard Pacaud, et pour moi, elle est supérieure à toutes les autres « fermières ». De même pour les grenouilles dont je vérifie la chair si délicate tous les matins. En revanche, le veau va s'améliorant, ce qui permet de proposer des filets mignon et une épaisse tranche de foie de veau en persillade. Cela me rappelle mes années lyonnaises. »

Ajoutons, pour saliver, les garnitures de ces deux plats : les fettucini au safran et les haricots verts aux zestes de citron.

Ah ! les épices chères à Pacaud, l'équilibriste du curry qu'il a appris à doser dans les fameuses huîtres chaudes du Vivarois ! Pour le créateur de l'Ambroisie, le cumin, le safran font partie intégrante de la cuisine d'aujourd'hui. Nul doute sur ce point : le classique Pacaud ne nie pas les influences étrangères - pas de poisson cru à la japonaise place des Vosges - mais il se veut comme Joël Robuchon un chef d'orchestre au répertoire hexagonal et rigoureux. Cela n'exclut ni la créativité - la polenta au lard en escorte de l'estouffade de coq bressan - ni la fantaisie des solistes comme le bon usage des fruits rouges chauds en giboulée, façon James de Coquet.

« Ici, on ne se livre pas à des essais sur les clients, note avec humour Pierre le Moulac, les visiteurs sont en quête de plaisirs maximum. Le personnel sait les prendre, et les violer avec une tendresse certaine. »

De la carte des vins axée sur les Bourgognes blancs et les Bordeaux rouges en priorité, vous découvrirez les meilleurs flacons de ces deux AOC. Laissez-vous apprivoiser par le Moulac et ses maîtres d'hôtel, mais n'hésitez pas à commander la bouteille qui vous plaît - selon votre humeur et l'air du temps. Les vins de champagne, une très courte sélection, conviennent à toutes les premières assiettes. Tant mieux. Féru de statistiques et d'observations, le Moulac a calculé que le mangeur restait attablé à l'Ambroisie pendant trois heures et demie - au déjeuner comme au dîner. L'anti-fast food, quoi !

Carré d'agneau en nougatine d'ail.

Le Président Clinton
et le Président Chirac
à l'Ambroisie

Dîner du 29 juin 1996

Escalopines tièdes de saumon fumé

Feuillantines de langoustines au curry
Minestrone de homard de Bretagne
Pastilla de thon aux abricots secs

Goujonnettes de soles et de girolles
Poularde grillée à la diable,
pommes soufflées
Croustillant d'agneau au basilic

Tarte fine sablée au chocolat
Soupe de pêches blanches à la menthe
Fraises des bois et framboises melba

Mignardises

Champagne Dom Pérignon 1985
Corton (Chandon de Briailles) 1990
Château Latour 1985
Champagne Dom Pérignon 1966
(dégorgé mai 1996)

Filet de rouget, carottes fondantes
au cumin

Crème de homard en Cappucino, morilles
et asperges

Minute de bar au caviar, frivolités
de courgettes

Biscuit tiède « Cote de Nuits », giboulée
de fraises cardinale

Champagne brut de Roederer pour
l'Ambroisie
Puligny Montrachet 91, Clos de la
Mouchère

FRANCE / PARIS

Ancien second de Michel Kerever à Enghien et d'Alain Senderens à l'Archestrate, le Breton Alain Passard, la quarantaine fringante façon dandy des casseroles a réussi l'exploit de racheter le restaurant du VIIᵉ arrondissement où il a affiné son talent. C'était en 1986, l'Archestrate du tarbais Senderens devenait l'Arpège - toujours cette fascination du « A », la première lettre. Dans cette bonbonnière au plafond laqué sang de bœuf, étroite comme un cabinet d'amateur, le mousquetaire Senderens avait posé les jalons de la cuisine dite nouvelle, comme Michel Guérard au Pot-au-Feu d'Asnières et les Troisgros à Roanne. Il faut rappeler que les pionniers de ce mouvement de libération des ukases et de pesantes règles d'acier - les garnitures invariables depuis Escoffier pour le turbot, la volaille, le gibier - sont encore sur la brèche et n'ont pas renié les principes fondateurs de la cuisine moderne en dépit des errances, des faux pas, des ratés qui ont suivi. Oublions les déviations, les tics ridicules des cuisiniers plus précieux que vrais.

Alain Passard est considéré par Senderens comme son meilleur élève à l'égal de Bertrand Guéneron qui fut son chef chez Lucas Carton, celui qui a maintenu le niveau trois étoiles jusqu'à son départ en 1998. Le disciple a rejoint le maître et l'Arpège ressuscite les bonheurs de bouche de l'Archestrate bien que le décor, la lumière, la dimension du restaurant aient changé du sous-sol à la cuisine en passant par les toilettes. Une véritable métamorphose rehaussée par les sculptures de verre Lalique, et la nudité

zen du cadre, en harmonie voulue avec le style épuré des mets. Mais comme Senderens, Passard sert un petit nombre de couverts, une quarantaine dont une forte proportion de fidèles qui ont des moyens et du goût pour les nourritures raffinées.

L'Arpège

Alain Passard, le Breton à deux têtes

Le principal mérite de Passard, ce qui fixe l'attention du gourmet sur ce jeune maître de la génération Ducasse, Rollinger, Bras, c'est sa double personnalité. Ses deux visages de virtuose des saveurs et des goûts. En lui cohabitent le cuisinier classique et le chercheur qui va de l'avant, c'est pourquoi l'Arpège plaît. Le cuiseur du poulet de Janzé au foin, du canard Louise Passard, sa géniale grand-mère, du turbot de Bretagne au céleri-branche donne la main à l'architecte des aiguillettes de homard et chou vert braisés au vin jaune ou au bavarois d'avocat d'Andalousie à la crème de caviar sevruga ou à la tomate confite aux douze saveurs.

Des plats basiques de son répertoire de fort en thème - du brio et de la rigueur - sont sortis un florilège de compositions gourmandes, estampillées Passard. L'homme, sa personnalité de gagneur ont plu à Bernard Naegellen qui s'est dit émerveillé par son talent. On discerne bien les mobiles de la troisième étoile surgie, sans crier gare, en mars 1996, alors que l'on attendait la victoire d'Alain Dutournier pour le Carré des Feuillants : le Breton amateur de jazz et de jolies femmes n'a cessé de renouveler sa manière, de peaufiner son style, d'introduire ingrédients et garnitures qui font mouche. Dans la lignée de

Gagnaire, en moins convulsif, Passard est un cuisinier qui cherche et qui trouve.

C'est le contraire d'un professionnel immobile, figé dans le bronze des certitudes culinaires. Son discours culinaire pour *Le Figaro*, le samedi, témoigne de sa nature de bosseur, d'expérimentateur, d'encyclopédiste des choses de la table. Dix façons d'accommoder le maquereau, autant pour la limande, le lièvre, le canard, les Saint-Jacques, le bar de ligne, les escargots et les spéciales Gillardeau - il s'agit de pondre de la copie, de marier produits et épices, de fouiller

les grimoires et les ouvrages d'Ali Bab, de Nignon, de Raymond Oliver, de Joël Robuchon et de dizaines d'autres personnages illustres et toqués. Le plumitif enrichit le manuel. Ainsi Passard se ressource, invente, change, modifie sa manière, donnant l'impression d'être perpétuellement aux aguets, en éveil : c'est un allumé de la cuisine d'aujourd'hui plus qu'un marginal. Souvenez-vous du homard aux huiles douces, un chef-d'œuvre dans une palette en constante évolution sans bizarreries, chinoiseries et influences d'ailleurs.

La salle à manger du restaurant l'Arpège.

FRANCE

Le coup de feu à l'Arpège : pas plus de quarante couverts par service.

Bien enraciné dans la Bretagne du « Cheval d'Orgueil », le bel Alain s'évade peu hors des frontières et fait peu de cas des modes venues de l'Europe du Soleil Levant. Ni sushi, ni soja, ni poissons crus. L'homme serait plutôt orienté Maghreb, harissa et ras el hanout, ce mélange de vingt-cinq épices aussi mystérieuses qu'ensorcelantes. Cuisiner c'est cuire d'abord, maîtriser le feu, la chauffe comme on dit chez les tonneliers. En cela Passard maintient une sorte de rigueur janséniste à la française perceptible dans la moussaka, le carpaccio de langoustines au sevruga, et dans le rognon de veau au Pommard qu'on dirait sorti du florilège de Fernand Point, de Claude Peyrot (Le Vivarois) et de son disciple Bernard Pacaud (L'Ambroisie).

Le style c'est l'homme - en cuisine aussi. Quel homme ? Quel type de professionnel du chinois et de la salamandre ? Un poète ? Un alchimiste ? Un vertueux comme Bernard Pacaud de l'Ambroisie ? Un chercheur canaille façon Michel Bras à Laguiole ? Un champêtre comme Marc Veyrat ? Dira-t-on que le queux moderne est un peu tout cela, divers et unifié par l'obsession du goût juste ?

Motivé par le jeu des casseroles, concerné par les exigences de ses fidèles, Passard n'est qu'à l'aube de sa vie de queux. L'homme est peu prévisible en dépit de sa stature solide, de son savoir-faire, de son expérience - ne négligez pas le millefeuille au chocolat qui a contribué à le faire connaître.

Certes, la salle à manger demeure bruyante, et le personnel contraint de louvoyer entre les guéridons, les tables à décanter et les plateaux valseurs. Les tables sont rapprochées, et l'intimité relative. Peut-il pousser les murs ? Et puis Passard a besoin de savoir pour qui il mitonne les Saint-Jacques et blancs de poireaux aux feuilles de laurier, ou les huîtres de Marennes en fine gelée à la truffe du Périgord.

Tout est dans la recherche du consensus, dans le regard chez ce garçon vif et posé à la fois. Le même regard que celui de Louise Passard « où s'animait une lueur qui en disait long sur la maîtrise du feu ». Bon sang… Et puis c'est bien de ne pas oublier la mémé, présente dans la carte des mets.

Aiguillette de homard breton au vin jaune et huile de noisette.

Chaud-froid d'œuf à la ciboulette
et vinaigre de Xérès

Aiguillettes de homard et chou vert
braisés au vin jaune et huile de noisette

Dragée de pigeonneau aux olives
et navets à l'hydromel

Pommes gaufrette en fine tarte feuilletée

Puligny Montrachet les Combettes 92
Château Cos d'Estournel 85
Banyuls Solera A. Parcé

Homard braisé au vin jaune et huile de noisette.

Dîner du Millénaire

23

Pour le Chinonnais Jacques Puisais

"L'autre jour, j'avais à donner mon avis sur un rosé de Nîmes. J'ai peu d'attirance pour le rosé. Aucun ne m'a jamais emballé. Bref, j'ai dégusté celui-là, et je l'ai apprécié pour son fruité élégant, sa fraîcheur nette. Deux heures après, dans la cuisine de Lucas, je travaillais un tartare de thon aux épices pour ce modeste rosé. Le mariage marchait. En fait, j'étais heureux d'avoir fait ce plat pour ce vin. »

Sans le rouge, le blanc, le rosé, les pétillants et les eaux-de-vie, le tarbais Senderens serait-il devenu ce qu'il est ? « Le patron, écrit Gilles Pudlowski, à qui ses élèves font révérence et parmi eux Alain Passard qui lui a succédé à l'Arpège. »

Depuis le début des années 90, le propriétaire de Lucas Carton s'est attaché à composer son récital de mets en fonction des vins de sa cave - et de son goût. Mieux, c'est le vin, sa saveur, sa rondeur, sa vivacité qui suscitent l'idée d'un plat, sa gestation et son inscription sur la carte des mets. Rien n'existe en dehors de ce duo solide-liquide. Toute l'œuvre « gastronomique » de l'ancien second de Mars Soustelle au Berkeley découle de ce principe d'harmonie qui fonde son style culinaire - et sa philosophie.

Ce n'est pas que Senderens soit un viticulteur rentré ; on sait qu'il a fait l'expérience de la vigne, du cep à la bouteille de Cahors au château Gautoul et qu'il est sans aucun doute l'un des meilleurs connaisseurs-dégustateurs de tous les trois étoiles Michelin d'Europe parce qu'il a

Lucas Carton

Alain Senderens, le Paganini de la bouchée et de la gorgée

tenu à sortir du trio magique champagne, Bordeaux, Bourgogne - vive l'ouverture sur d'autres AOC, d'autres effluves, d'autres saveurs. Vivent les blancs du Jura, les Savennières, les Chinon chastes, le Xérès Manzanilla, les Banyuls, les vins jaunes…

Grâce à lui, à ses recherches gustatives dans les salons du Lucas, en compagnie de journalistes de la *Revue des Vins de France* dont Thierry Desseauve et Michel Bettane, auteurs d'un guide annuel pourvus d'étoiles aux meilleurs crus, Senderens et son sommelier Jérôme Moreau ont fait avancer le jeu complexe des accords - et désaccords - entre les mets et les vins.

Grâce à eux, ces mystères ont été éclairés. Par exemple, Senderens démontre que le camembert est assassiné par les vins rouges. Il est déprimant de constater qu'en Bourgogne, les plus nobles crus de la Côte de Nuits et de Beaune sont systématiquement servis après la viande - sur les fromages - en apothéose fracassée ! Seuls quelques propriétaires de Gironde prennent soin de présenter du fromage de Hollande bien sec, étuvé, qui par sa neutralité ne nuit pas aux vénérables millésimes, mûris dans le silence.

Disons-le, la grande restauration sort de la nuit de l'ignorance ; à table, le choix de vos plats fait, surgit le sommelier qui a peut-être pris connaissance de votre menu et qui va s'échiner à l'habiller de quelques flacons. La situation se corse si votre commensal n'entend pas se nourrir comme vous. Huîtres chaudes, sole au plat, gâteau Opéra face à l'œuf meurette, chartreuse de perdreau et crème brûlée, que faire pour nouer au mieux l'aventure gourmande ? Sancerre rosé, Bouzy de Champagne, Saumur Champigny bien frais - le vin est né, c'est le parent pauvre alors qu'il devrait être la parure, l'intelligence du repas.

Quelle déconvenue pour la France, mère de tous les gastronomes du globe, lumière de tous les fins becs ! Quel aveu d'échec pour le pays qui a enfanté Rabelais, les rois de France, Voltaire, grand gastronome, Carême, Brillat-Savarin, Nignon, Fernand Point, Raymond Oliver, Michel Guérard, Joël Robuchon, Bernard Loiseau et Alain Ducasse ! La gueulardise ne saurait se résumer à un empilage de goûts, d'arômes, et de sensations !

En cela, Senderens a joué les pionniers du savoir-manger lié au savoir-boire. Dans son dernier ouvrage, *Le Vin et la Table* (1999, Éditions de la *Revue des Vins de France*), il propose 80 coups de foudre entre plats et vins ; les recettes détaillées - le marché, la cuisson, la saison, le coût - s'accompagnent de la description du vin. Par exemple, une terrine chaude de poisson en face d'un champagne Delamotte 90.

« On dit que le goût est affaire de subjectivité. Je crois au contraire que c'est une affaire d'objectivité et de culture, d'apprentissage, d'accumulation critique et d'expérience », indique l'auteur dans sa préface qui ajoute que « les accords entre les mets et les vins ne sont jamais définitifs mais que certains vins ne se révèlent qu'à table ».

La salle à manger aux boiseries Majorelles : l'art au restaurant.

FRANCE

Bouchée, étiquetée, la bouteille contient le vin. L'œuvre est finie. Il s'agit de la prolonger, de l'embellir, de la transcender par les nourritures. Noble mission.

Tout le travail du maestro, inventeur du bar au Bouzy, consiste à donner plus de plaisirs au gourmet, à lui montrer qu'une belle harmonie de textures, de chairs - rouget et Bandol, daurade et Hermitage blanc, huîtres de Belon et bon Muscadet - peut le combler, l'enchanter, l'envoyer au septième ciel. Un duo réussi, des grenouilles aux asperges et un Vouvray sec, c'est de la perfection dans l'assiette. Pour cela, il faut ausculter le vin - et ne pas se contenter de décalotter le flacon…

Dynamisé, dopé par sa passion pour le vin et l'assiette, Senderens avoue goûter quelques dizaines de vin par jour, guettant l'intuition qui fera jaillir le mets, le produit de base, la garniture - capitale - et la sauce. Sur de grosses belons à peine parfumées d'un beurre noisette, un toast de jambon Jabugo et un verre de Manzanilla, une révélation. « J'écris la musique, à vous de l'interpréter ! »

Selon son millésime et son origine, tout vin a un volume, une densité, une forme en bouche, tout comme un homard bleu, une selle d'agneau, un Saint-Pierre - mais l'alliance n'existera que si l'on a défini l'accompagnement, les légumes, les gratins et les sauces ou les jus.

Tout cela n'est pas simple, c'est pourquoi l'extraordinaire carte du Lucas suggère aux mangeurs des alliances vérifiées - et judicieuses. Tous les plats ont une réplique vineuse. Vous n'êtes pas noyé dans la carte des vins, ni glacé par le regard circonspect du sommelier, planté devant votre table. Ô horreur !

La rituelle dégustation des vins avec les avis de l'un des sommeliers.

Senderens et son chef Frédéric Robert, un per-fectionniste en diable, vous donnent la clé de tous les mets. Réjouissez-vous !

Admirable salade de homard aux pêches blanches escortée d'un Santenay blanc 97, tour-nedos de foie de canard et salade de figues tièdes et amandes agrémentée d'un Rivesaltes 98 de Cazes, puis l'exceptionnel canard Apicius rôti au miel et épices enrichi d'un verre de Banyuls 79 pour le suprême et d'un Banyuls Solera pour la cuisse et salade - le chef-d'œuvre de Senderens depuis une décennie. Et je ne voudrais pas oublier de conseiller les abricots « Bergeron » cuits différemment et la glace au lait d'amandes, métamorphosés par le Tokay cinq puttonyos, une conclusion feu d'artifice. Du bonheur, vous dis-je.

Nul doute que Senderens et ses investigations visionnaires dans des terres inconnues aura fait avancer l'art de manger et de boire au XXe siècle. Peu de chefs parvenus au sommet se sont autant remis en question, chassant la routine, la répéti-tion, la menace de fossilisation avec l'ardeur d'un jeune loup des casseroles. Oui, un grand cuisinier qui a bien senti que la cuisine moderne allait bien au-delà d'un volant de recettes en or massif.

Pigeon de Kernivinen rôti, compote d'oignons et navets à la cannelle.

Salade de homard aux pêches blanches
Santenay blanc 97

Bar à la vapeur de varech,
légumes à l'huile d'olive et coriandre
Condrieu 97 Pichon

Pastilla de lapin fermier et foie gras
Hermitage rouge 93 Chapoutier

Meringue à la menthe poivrée,
glace à la réglisse
Rivesaltes 75 Cazes

*Dîner du Millénaire
au Château de Chantilly*

Pour Michel Laugel

FRANCE / PARIS

Commençons par la pâte de thon et d'olives, la gelée d'endives et d'anguille, le veau aux pickles de concombres, la marinière de coquillages aux pieds d'agneau, en guise d'amuse-bouche. Ouverture saisissante comme chez le Lucas Carton d'Alain Senderens. Dès les premières bouchées de ces mini-portions, vous êtes plongé dans l'univers gustatif de Pierre Gagnaire - le maestro le plus créatif de notre temps, entend-on dans les cercles de mangeurs bien informés.

L'ex-Stéphanois au sourire d'ange fait du Gagnaire. De la cuisine signée de lui seul. En cela, il est unique. Même ses disciples les plus titrés, les Pourcel à Montpellier paraissent à des années-lumière de son style imprévu, poétique, innovant : la cuisine moderne réinventée. Un repas chez le fougueux Pierrot ne ressemble à aucune autre expérience gastronomique - en France ou ailleurs - même chez son alter ego, côté inventivité, Ferran Adriá d'El Bulli par exemple, qui a plusieurs fois visité le restaurant parisien de son ami.

En s'installant à Paris, dans le restaurant de l'Hôtel Balzac, en haut des Champs-Élysées, Pierre Gagnaire, secondé par la brune Chantal, son baume, a entamé une seconde vie professionnelle. L'échec cinglant de Saint-Étienne, la fermeture du très beau restaurant trois étoiles pour cause de dépôt de bilan - une première dans les annales - a fait réfléchir le chef patron, blessé, meurtri, abasourdi par la cruauté de la

Pierre Gagnaire

Une cuisine comme mode de vie

sentence, la force injuste de la loi, disait François Mitterrand, plus fine gueule qu'on ne le croit.

Rendre ses trois étoiles au guide rouge, vivre une faillite, vendre ses biens, ses vins, ses chinois, ses poêles, ses logements, sa voiture alors que les cénacles de gourmets vantaient son talent si particulier, si évident, ensorcelant, tout cela crée une fracture intime, une écharde dans la chair. L'esprit est atteint.

Pas l'énergie, c'est ce qui nous plaît chez ce gaillard au cœur gros comme ça qui sait taire ses chagrins. Monté à Paris sur la pointe des pieds, soutenu par la générosité jamais aigrie d'amis dont Christian Falcucci, directeur général du Balzac et par Marcel Fournier Monsieur Carrefour, le Stéphanois a vite conquis l'élite des travaillés de la gueule qui lui font fête au déjeuner et au dîner. Y a de la joie chez le fou cuisinant ! Enthousiaste et comme galvanisé par son nouveau public.

De tous les ténors en toque triplement étoilés de la capitale, le bon Pierre est celui qui peut se vanter d'avoir la plus notable cote d'amour. Ses fidèles ont pour lui un attachement particulier, une tendresse chaude comme le succulent soufflé au chocolat, une simple merveille. L'épreuve a marqué le Stéphanois et la mémoire des visiteurs : Gagnaire c'est le Lazare de la haute cuisine. Privé de fourneaux et de bouches, il est revenu parmi nous après une subite disparition. Et nous ne l'aimons que plus.

Le ressort de l'homme, ce qui l'a fait rebondir,

Dans l'hôtel Balzac aux Champs-Élysées, la salle à manger de Pierre Gagnaire.

Des vins simples pour des plats complexes.

c'est la passion chevillée au corps pour le produit parfait, la domination du feu, la cuisson et l'assaisonnement. Cuisiner c'est vivre. « Tout ce que je fais au piano, c'est donner du bonheur aux gens. Rien de plus. Je m'exprime comme ça par le biais de l'assiette et des plats que j'invente en évitant de mettre mes pas dans des sentiers archi-battus, en montrant ce que je sais mitonner pour embellir du thon, des endives, des cèpes, des langoustines, de la palombe, de l'agneau, du canard, du bar et du chocolat. C'est ma liberté. Sans la cuisine, je ne serai rien. Et jamais remonté du trou noir ».

Ainsi s'exprime la formidable créativité de ce personnage qui change sa carte selon les saisons, comme on s'y attend, et les garnitures, les modes de cuisson et les apprêts. Vous ne mangerez jamais deux fois le même magret de canard,

FRANCE

Une dizaine de cuisiniers dans la brigade et l'inattendu dans l'assiette.

deux fois le même rouget cuit avec l'arête, et deux fois les mêmes zakouski de l'ouverture. Gagnaire, un maître cuisinier en permanente ébullition, un poète du mouvement, de la recherche - de la surprise gourmande. Étonne-moi, disait Cocteau à Diaghilev. Voici des huîtres Gillardeau, iodées, grasses, croquantes. Comment les emballer ? Dans un velouté de shizo, une herbe sauvage de la famille de l'ortie, elles voisinent avec des lamelles de mignon de canard. La mer et la terre réconciliées. « Cette composition vient de Bordeaux, des Charentes où l'on sert l'huître et la saucisse. Son originalité, c'est le bouillon rustique. Une autre version de la soupe d'huîtres. »

La truffe blanche d'Alba, Gagnaire ne l'avait jamais abordée à Saint-Étienne. Par une sorte de respect pour ce champignon de légende. Pas question pour le Pierrot de Paris de concocter un risotto crémeux « que je réussirais moins bien que les Italiens ». L'idée lui vient d'associer la blanche Tuber à un poisson de rivière, le sandre ou le brochet. Voici donc une mousseline de brochet de Loire bombée comme une quenelle élargie, recouverte de lamelles de truffe blanche et de sel de Guérande, un plat blanc et nacré d'une extrême saveur, à la texture molle et ferme. Du grand artisanat, jamais banal, toujours inspiré. Nul ne copie Pierre Gagnaire, l'astre solitaire. Chacun des produits nobles de la carte reçoit un traitement spécifique : la palombe confite à la graisse d'oie, la faisane prise dans un bouillon et un flan aux girolles, le canard sublimé par l'orange amère - éblouissante variation.

Le style Gagnaire, c'est ce jeu savoureux qui anime l'assiette et agrémente votre palais. « Ma cuisine est ludique, mais elle reste enracinée

Un poète et un créateur au piano

dans la tradition française, ce que je revendique. Elle se veut originale, gaie, pas déroutante. Tout sauf l'ennui, la répétition de mornes rengaines qui me tueraient. Tout comme la cuisine de fusion, de mélanges. Le déclic, c'est l'envie de tirer quelque chose de l'araignée de mer, du ventre de pigeon, des crêtes de coq ou de l'aubergine. Il n'y a pas de cuisine sans désir de cuisiner quelque chose. »

De sa villa 1930 stéphanoise, à la salle à manger de boiseries blondes à l'entresol de l'hôtel Balzac, le sorcier du berberis (épices d'Érythrée) a épuré sa manière en dépouillant l'assiette de ces jets colorés, de ces enluminures zébrantes qui laissaient le mangeur pantois. Le langage culinaire du queux se faisait mystérieux, abscons, impénétrable. Comme l'avait dit Paul Bocuse, « j'ai bien mangé. Je me suis même régalé. Mais je ne sais pas ce que j'ai mangé ! »

L'expérience, l'âge venant, ont influé sur l'homme en simplifiant sa gestuelle. Le fou cuisinant s'est apaisé, le libellé des mets comporte encore des devinettes comme ces pousses de tatsoï au murex qui font sourire, mais les surcharges graphiques ont disparu. Et puis les mangeurs sont visiblement heureux de se nourrir autrement, de se laisser guider dans ce « jardin d'enfants gourmands » (Pierre Gagnaire) et l'on aurait mauvaise grâce à les plaindre. Et puis le Pierrot rieur, facétieux à ses heures, fidèle en amitié a quand même trente années de métier. Il sait où il va, et où il vous entraîne quand vous prenez place dans « le restaurant Pierre Gagnaire » - il est chez lui - et que les maîtres d'hôtel viennent vous décrire la carte des mets. Le client n'est pas le cobaye, il est le destinataire du message culinaire qui va vous enchanter, n'en doutez pas. Ici, le patron fait de la cuisine par amour des gens.

Truffe blanche à la mousseline de brochet

Huîtres Gillardeau et mignons de canard dans un velouté de shizo

Soufflé au safran

Mignardises

Lanson Black Label
Château Labégorce Zédé 1994

Dîner du Millénaire

FRANCE / PARIS

Un demi-siècle de vie pour un grand restaurant, Taillevent a franchi le cap en 1997, sans falbalas. En 1947, l'enseigne figure dans le IXᵉ arrondissement, rue Saint-Georges, au bas de Pigalle. C'est André Vrinat, le père de Jean-Claude, un très fin gastronome qui tient les rennes, comme Topolinski chez Lapérouse et Raymond Oliver au Véfour, deux pionniers disparus.

Homme de culture, fondateur du prix Prosper Montagné, Vrinat a choisi un patronyme célèbre dans les annales de la gastronomie : Guillaume Tirel dit Taillevent fut le cuisinier des rois Charles V et VI et l'auteur du « Viandier » le premier livre de la cuisine de la France des maîtres queux, en 1379. Le Taillevent, au XXᵉ siècle, une grande table qui marquera l'histoire ?
De fait, la modeste enseigne est vite distinguée par le Michelin dans les années 50 : la macédoine de légumes et les filets de sole bonne femme valent une étoile, la première. Le succès pousse le patron propriétaire à émigrer vers les beaux quartiers et le secteur de l'Étoile. Le hasard fait qu'il peut acquérir l'hôtel particulier du duc de Morny, rue Lamennais, à deux pas de l'Arc de Triomphe qu'il s'agit de métamorphoser en restaurant chic.

Au rez-de-chaussée, la salle à manger est truffée de boxes ; par l'escalier monumental, on accède au premier, dans l'ex-chambre à coucher de Monsieur le Duc que l'on a transformée en salon particulier ainsi que le cabinet attenant. De la place pour les cuisines, refaites en 1997, une

entrée qui débouche sur le bar de service et une autre salle à manger au pied de l'escalier que certains fidèles comme Roxane Debuisson adopteront - on voit tout et l'on n'est pas vu - Le Taillevent va dérouler un parcours sans faute pendant quatre décennies. On le donne en exemple dans les écoles hôtelières en France et ailleurs.

Dans les années 70-80, le fils diplômé d'HEC a pris la succession du créateur et Taillevent va progresser à pas de géant en cuisine et en salle sous l'impulsion quotidienne de Jean-Claude Vrinat, jamais absent tout comme René Lasserre chez lui, Claude Terrail à la Tour, les Vaudable chez Maxim's, les Allégrier chez Lucas Carton, les Barnagaud chez Prunier : l'aristocratie de la fourchette stylée. Sur ses confrères de bouche, Jean-Claude Vrinat a des avantages : la jeunesse, l'ardeur, et une permanente analyse de la haute restauration. C'est un cerveau et un fort en thème doublé d'un authentique gourmet, qui a formé son palais au contact des quatre seuls chefs que le Taillevent a employés en un demi-siècle : Leleu, Deligne, Philippe Legendre MOF 96 et Michel del Burgo.

Avec le temps, Taillevent est devenu une institution, une sorte de monument de la restauration noble européenne, la comédie française de la bonne chère servie par un personnel irréprochable dans un cadre bon chic bon genre : vous avez ici une idée de la perfection mise en œuvre tous les jours ouvrables. Du bronze massif dont on fait les statues figées.

Taillevent

Un duo :
le propriétaire et le chef

« Depuis les années 90, je n'ai qu'une crainte, une hantise : que Taillevent se fossilise, confie Jean-Claude Vrinat de sa voix posée. Cette maison de famille s'est institutionnalisée sans que nous le voulions. C'est comme ça. Il n'est pas commode de faire évoluer un restaurant de prestige qui marche bien, dont la clientèle ne cesse de témoigner de sa fidélité. Nous sommes souvent complet midi et soir, et l'on me dit : « ne changez rien, tout est parfait. Flatterie ? »

Taillevent, un musée de la bonne chère ? On s'ennuie ferme si on n'apporte pas gaieté avec soi, entend-on. C'est guindé comme un club anglais dépourvu de présence féminine, un repère de businessmen plus occupés de chiffre ou de bilan, que de plaisirs subtils. Tout est conventionnel, attendu, redondant surtout les nourritures d'un classicisme pesant comme le cadre. Vivent le charme de Guy Savoy et l'imprévu chez Pierre Gagnaire !

Dès lors, le naïf aux quarante repas étoilés par an pose l'inévitable question : pourquoi le Taillevent affiche si fréquemment complet - pas seulement pour les dîners « fine bouche » ? Les gourmets globe-trotters, ceux qui écument les adresses incontournables sont-ils masochistes ? Cherchent-ils la petite bête, le défaut de la cuirasse, la sauce ou la cuisson approximatives ? Et les yuppies en costumes gris, les cols blancs de l'industrie, de la finance, de la politique - Gorbatchev, Chirac bons clients - veulent-ils vraiment mécontenter leurs hôtes en les conviant rue Lamennais ?

Rassurez-vous, amis foodistes, Taillevent ne cesse de plaire, surtout aux connaisseurs d'outre-Atlantique : pour le *Guide Zagat* 1998 et 1999, c'est le premier restaurant de la capitale. Pour le *Wine Spectator*, le quatrième. Pour le Michelin, l'archétype du trois étoiles. Alors ?
Chaque restaurant de la galaxie parisienne déve-

En 1998, Jean-Claude Vrinat a modernisé le décor classique du Taillevent.

FRANCE

loppe son style propre ; certes, Taillevent offre une image rassurante - la sérénité de la gourmandise intelligente - plus tournée vers l'avenir qu'engoncée dans sa réputation, croyez-moi. On est loin de s'endormir sur ses lauriers. On avance, on bouge, on crée.

Déployez l'imposante carte des mets, ornée de reproductions de plats historiés à la Carême - probablement la carte la plus copiée de France - et considérez le nombre de plats disposés en trois séquences, une trentaine « salés » et une quinzaine « sucrés ». Jugez de l'abondance, de la diversité, de la variété des propositions de bouche, à l'heure où fleurissent les cartes com-

Michel del Burgo, un ténor au piano.

pressées, courtes, réduites à quelques plats phares qui se répètent de saisons en années sans bouleversement : on se contente de mener le bateau à vue. Pas chez Taillevent.
Tous les produits majeurs, piliers des tables de luxe sont déclinés, le foie gras en ballotine, le caviar dans une crème de cresson, le turbot en darne, les langoustines en cassolette, le homard en fricassée aux châtaignes, la poulette de Bresse en cocotte, les truffes en croûte, le bar de ligne à l'antiboise… Rien là que de très normal - on ne

s'attend pas à savourer des maquereaux au vin blanc et du boudin aux pommes !

Là où Taillevent excite les papilles du gourmet, c'est que ces ingrédients ô combien choisis connaissent un nombre quasi infini de traitements. Ainsi le bar de ligne (au cresson) le meilleur de Paris, la selle d'agneau (farcie), la canette de Challans (au miel et citron), la côte de veau (à l'oseille), celle de bœuf (aux trois sauces), la sole (aux herbes), les Saint-Jacques (en salade ou poêlées au jus de truffe), le turbot en darne (au beurre fumé) sont agrémentés, parés, parfumés de multiples manières, la cuisine de fidélité voisinant avec la cuisine d'invention,

Pigeon rôti en bécasse.

selon la très juste formule de Jean-François Revel.
Quoi de plus classique que la ballotine de foie de canard ? Qui sait encore rouler une ballotine ? Qui travaille les escargots - braisés au curry comme chez Taillevent ? Qui mitonne les rares tourtes de gibiers - à l'Armagnac ? Et l'andouillette de pieds de porc aux truffes, la selle de chevreuil rôtie sauce poivrade et le pigeon en bécasse ? Bon lecteur de Nignon, de Curnonsky, de Marcel Rouff, Jean-Claude Vrinat doué

d'une sensibilité aiguisée entend maintenir un corpus de recettes fondatrices de la grande cuisine française. En cela, Taillevent fait figure de conservatoire. Est-ce cela qui menace l'avenir ?

En juin 99, le chef Philippe Legendre a annoncé son départ du Taillevent attiré par les propositions alléchantes du tout nouveau George V, rénové de fond en comble par le prince Al Whaleed pour le groupe britannique Four Seasons. Un rude choc pour Jean-Claude Vrinat qui a été le premier surpris de cette décision : l'abandon du navire sans véritable motif, sauf peut-être pour le quadragénaire Legendre, talentueux chef de brigade, le désir de se remettre en question. De tenter un singulier défi : au George V, il s'agit de piloter un grand restaurant « cuisine Michelin », de gérer un café élégant et le room-service. Pas rien !

Sur les conseils de Joël Robuchon, l'ami et le partenaire de Vrinat à Tokyo pour la grande table de la capitale, le patron du Taillevent a recruté Michel del Burgo, jeune ténor des casseroles, ex-deux étoiles à la Cité de Carcassonne, étoilé au Bristol à Paris où il a pu faire étalage de sa gestuelle, et de beaux plats aux longs intitulés comme ceux d'Alain Chapel et d'Alain Ducasse. Assurément un jeune maître à la recherche d'une maison de bouche qui puisse lui donner les moyens indispensables à l'élaboration de la haute cuisine dont il rêve. « C'est la chance de ma vie », a lancé del Burgo, qui s'est coulé dans le style Taillevent.

La transition s'est faite en douceur, sans heurts ni bouleversements. La carte aux plats fétiches a peu varié, sauf au chapitre des suggestions du jour où le chef del Burgo peut exprimer son tempérament, sa générosité, et son sens des cuissons et des garnitures - l'agneau aux cèpes, le Saint-Pierre aux légumes à l'huile d'olive.

Vrinat et del Burgo, le nouveau tandem du Taillevent, est reparti de l'avant, c'est la grande table de l'Étoile redessinée pour le nouveau millénaire.

« Ici, tout le monde refuse de vieillir, clame Jean-Claude Vrinat qui vient de saluer les derniers clients du déjeuner ; les cuisiniers doivent manier le chinois avec plaisir, tout comme les mangeurs qui s'attablent rue Lamennais. Et comme nous avons une forte proportion d'habitués, nous devons jongler avec les produits et les apprêts afin de ne pas lasser : rien n'est pire qu'une carte immobile. Tout le monde baille ! »

La modernité culinaire, tant revendiquée par certains, vous la trouverez dans cette maison au charme discret : ainsi, de la mousse d'oursins à la crème d'escabèche, des cannelloni de tourteau sauce ravigote, du boudin de homard à la nage, sans oublier le tartare de thon, proposition un rien canaille du déjeuner. Et l'on pourrait ajouter le bel éventail de desserts et mignardises : le soir, trois assiettes glacées, tièdes et chaudes. Un rêve de moine gourmand ! Et des chocolats ! Ayons une vision claire des choses, Taillevent épouse les contours du temps en douceur.

Crème de cresson froide au caviar

Bar de ligne à l'huile d'olive

Poulette de Bresse en cocotte

Soufflé chaud au pain d'épices et orange

Haute Côtes de Nuits 94 Jayer Gilles
Château Petit Village 82
Château Climens 88

Dîner du Millénaire

FRANCE

Pour Bernard Naegellen

Les œufs de caille au miel subissent une piqûre d'oxalis, la gelée de bœuf et caviar s'enrichit d'une émulsion de chou-rave et de raiponce, la vapeur d'égopode parfume les langoustines grillées, et la benoîte rurale agrémente la délicate féra du lac - que dire de l'infusion de pimpiolet indispensable au carré d'agneau ? Toutes ces préparations figurent dans le concert savant et la sonate gourmande interprétés par Marc Veyrant et sa brigade de cuisiniers formés aux goûts de la Savoie montagneuse. Et ça plaît bigrement. Jamais l'Auberge de l'Éridan, au bord du lac d'Annecy, n'a attiré autant de curieux, de fins becs tentés par les assiettes (carrées ou triangulaires) de l'alchimiste des sentiers et des alpages. Plus de cent couverts par jour, et le week-end, un flot ininterrompu de clients, les Suisses en tête. On affiche complet comme au bon vieux temps du boom des chefs stars. Et le patron, son chapeau noir sur la tête, plastronne dans la salle à manger.

Y a-t-il un mystère Veyrat ? Pourquoi cet enfant terrible de la cuisine française, ce rebelle au regard perçant, iconoclaste du goût parvient-il à faire passer le message de la cueillette ?

C'est que l'herboriste donne la main au créateur devant son piano. Et ça marche, l'enfant de Manigod est d'abord le chantre, l'interprète de la sainte nature. L'herbe à la bouche, le nez aux aguets, l'œil qui saisit l'achilée, le rumex, l'oseille sauvage, l'origan, Veyrat fait vibrer une constel-

L'Auberge de l'Éridan

Marc Veyrat, l'illusionniste du ravioli sans pâte

lation de saveurs, d'arômes, de senteurs qui ont le pouvoir de métamorphoser le produit de base. Un sorcier à l'âme paysanne ?

Goûtez l'omble chevalier au petit lait d'armoise : « un manger divin » (Grimod de la Reynière). Essayez le gâteau de morue aux anchois, l'admirable gelée au caviar rehaussée par le chou-rave dans l'esprit de celle du maître Robuchon et ne négligez pas les ravioli de légumes et truffes sans pâte - de la magie ô combien savoureuse en bouche, le chef-d'œuvre de l'Éridan.

Chez Veyrat, tout comme chez son ami fraternel Pierre Gagnaire, défricheurs de l'inconnu - la cuisine revêt une autre dimension. Elle s'affiche « d'outre convention » (J.-P. Quélin). D'autres textures - le moelleux en majesté - d'autres règles. Un style infiniment personnel transmué par la patte du goûteur et du poète. Un autre cosmos culinaire.

Côté technique, la légèreté diaphane. Pas de beurre, de crème, de fonds de sauce mais une panoplie d'infusions, de décoctions, de bouillons qui font de la cuisine un laboratoire du savant Cosinus en toque où les contenants genre thermos - très peu de casseroles - dégagent fumées et fumets nés du geste du sorcier touilleur. Le mystère est partout et le gourmet redevient un enfant.

Qui ne serait dépaysé à la lecture de la carte ? Songez aux clients japonais ! Certes, les éléments de décor façon ferme savoyarde (très) améliorée - admirable vue sur le lac - l'ambiance de restaurant chic, confortable, tables très espacées ont de quoi rassurer ; le très dévoué personnel de salle, Hervé le savant et affable directeur en tête vous sera d'un bon secours à l'heure de la commande, vraie plongée dans les secrets de Dame Nature. Qu'est-ce ? Que manger ?

Tout le problème gît dans l'éventail des garnitures et des assaisonnements sortis du Muséum d'histoire naturelle. Le gourmet moderne ne saurait ingurgiter des substances insoupçonnées, rébarbatives, interdites par la Faculté. La bouche est le tabernacle des goûts et dégoûts. Que me contez-vous, cher Hervé ? Des prouesses du jour. Sans le décryptage du premier maître d'hôtel, confident de Marc Veyrat, la plupart des mets conservent leur voile. Il faut un dévoilement et un discours avant l'expérience et la gustation. L'oxalis dont chaque œuf de caille est piqué à la seringue, voilà qu'Hervé la

broie dans sa main. Vous la humez tout comme le cinglant pimpiolet, le thym sauvage du carré d'agneau, et l'on peut même ouvrir le livre de botanique gourmande de Marc Veyrat et… afin de lire l'origine et la composition de l'achillée sauvage ou du génépi.

Y a-t-il un repas plus culturel que chez ce diable d'homme ? Y a-t-il un restaurant où la langue précède la bouche, les mots, l'assiette, et l'imaginaire, le plaisir des sens ?

N'en doutez pas, si l'on s'embarque vers ces contrées peu fréquentées de la gourmandise moderne, on est ébahi, saisi, bouleversé par l'harmonie des mariages, par l'intelligence des accords, du tutoiement : le rave qui emballe la truffe, la morue et l'anchois fondus.

Déjeuner défi ? Dîner de provocation ?

Au bord du lac d'Annecy, l'auberge, un rêve d'enfant gourmand.

Le casse-croûte dans les sous-sols de l'auberge. Au centre, le précieux Hervé.

Obsession du jamais-goûté, de l'invention radicale, le Paganini de la benoîte urbaine ou (rurale) a instauré le repas ludique par excellence, pimenté de surprises et de découvertes. Qui ose présenter des assiettes triangulaires bordées de métal, et d'autres rectangulaires où flottent les œufs de caille, comme des nénuphars sur l'onde ? On les mange en becquées offertes par Hervé ou Veyrat lui-même. Le convive bébé…

Toute cette symphonie à la fois dépouillée - les poissons du lac, les huîtres - ou chargée d'ingrédients surréalistes - il y a du Dada chez le quinqua Veyrat - fait-elle avancer l'art culinaire ?

Reconnu par ses partisans, détesté par d'autres, Veyrat demeure un militant de la créativité absolue. Il y a du polémiste dans son logos, raillant les tenants de la tradition, ferraillant contre Robuchon, Loiseau et Georges Blanc qu'il est loin de porter dans son cœur, annonçant le déclin de la cuisine française pour s'en faire le sauveur. Ce sont les chefs d'Espagne qui vont ravir le patrimoine de la haute cuisine. Les nouveaux leaders, c'est eux. Ah bon. L'homme est un hâbleur doublé d'un fripon quand il admoneste ses pairs de la galaxie Michelin et les chroniqueurs de gastronomie qui ne pensent pas comme lui. Règlements de comptes par libellés interposés…

Superbe petit déjeuner sur le balcon.

38

Grande gueule, mauvais garçon qui a conquis un public médusé, s'abritant derrière Michel Guérard, soixante-sept ans, « qui a tout inventé », le savoyard a ses humeurs et ses grincements de dents. En 1996, il est passé très près de la faillite et a rameuté tous les médias sur son cas, « victime de l'arnaque des banques locales ». Bravo : les taux d'intérêt ont chuté jusqu'à cinq pour cent mais ses récriminations acides ont exaspéré bien des chefs trois étoiles qui l'ont incité à la boucler. Secrets à ne pas répandre… Tout cela a dégénéré dans une guéguerre fratricide entre les gros bonnets de la French cuisine. Le tout terroir contre les poètes alchimistes ? À l'horizon, la dégringolade de la grande cuisine : le luxe de la table condamné ?

Ainsi est né le groupe des huit présidé par Veyrat lui-même aux côtés de Pierre Gagnaire, d'Alain Passard, d'Olivier Rollinger, de Jacques Chibois, de Jean-Michel Lorain, de Pierre Troisgros et de Michel Bras, décidés à élargir les bases de la cuisine hexagonale en ouvrant les portes sur l'ailleurs, la culture, la mixité et le reste. À New York, on appelle cela la cuisine fusion. Un plai-doyer pro domo qui ne choque personne et qui peut rassembler sans haine la totalité des trois et deux étoiles français. Où sont les obtus, les aveugles, les bornés ?

Veut-on amuser la galerie ? Livrer du grain à moudre aux médias ? Marc Veyrat mène la danse des huit contre qui au juste ? Peut-on soutenir que Bernard Loiseau n'est qu'un clown ? Don Quichotte en Savoie se bat contre des moulins imaginaires. Il s'épuise. Mieux vaut, chez cet écorché vif s'emballer à table qu'écouter son babil.

Terrine de langoustines à la vapeur au bouillon d'ache.

Les ravioli de légumes aux senteurs de sous-bois et prairie

Les œufs de caille, au sucre, au sel, piqûre d'oxalis

Le dos de féra à la benoîte rurale

Les cinq crèmes de lait battu

Champagne Geoffroy 92
Blanc de Marestel 96
Grande Chartreuse verte

Dîner du Millénaire

Pour Jean Hugel

FRANCE

Du temps du père Haeberlin, le paysan alsacien qui eut la bonne idée de léguer sa guinguette au bord de l'Ill à ses fils Paul et Jean-Pierre, l'écurie abritait deux solides percherons qui labouraient les champs de patates et de choux - ah, la craquante choucroute à la bière de la maison ! Dans les maisons du village, on répétait à l'envi ce mot : « Pour sûr que je voudrais bien finir ma vie comme cheval chez le père Haeberlin ! »

Même les animaux se trouvaient à leur aise dans cette famille qui incarne à merveille toutes les vertus de l'Alsace éternelle, et d'abord le sens de l'hospitalité et de l'accueil. Nombreux sont les convives du déjeuner dominical qui prolongent le temps des agapes auprès du saule pleureur, sous les parasols dressés sur la rive de l'Ill : moment de paix, de sérénité, de plénitude quand le soleil, en saison, éclaire le jardin et caresse les visages et les corps. L'eau-de-vie de framboises sauvages et les mignardises du final accompagnent ces instants volés à la rudesse et au stress des jours et des nuits. De la vertu bienfaisante des grandes tables.

Vers six heures du soir, quand la somnolence fait son œuvre, les hôtes du déjeuner croisent les clients du soir, des Allemands, des Suisses, des Scandinaves habitués à dîner tôt, à l'heure où les Anglais abordent le whisky de mise en train ou le champagne des préludes gourmands. Les uns en sont aux gâteries, les autres attendent les prémices : tous lampent de beaux flacons, car la cave de l'auberge meublée par les trouvailles du

La douceur de vivre chez les Haeberlin

sommelier Serge Dubs - 60 000 bouteilles - a de quoi envoyer au septième ciel n'importe quel œnophile !

Oui, il fait bon s'attarder dans cette oasis de verdure que l'usure du temps n'a pas affectée. Où sont les adresses aussi précieuses que celle-ci ? Qui en crée ? L'auberge de l'Ill comme les Prés d'Eugénie, le relais-château de Michel Bras perché sur l'Aubrac, le Waterside Inn de Michel Roux à Bray on Thames, le château des Crayères à Reims, La Côte d'Or à Saulieu, demeurent des haltes de bien-être, de savoir-vivre où les plaisirs de la table s'enrichissent de la magie des lieux, de ce je ne sais quoi dans l'air qui agit sur vous comme un baume salutaire. Pour le gourmet moderne, ces étapes de gueulardise aident à vivre et vont au-delà du simple enchantement des papilles. Ce sont des lieux de plénitude.

Témoin cet habitué, sirotant dans le jardin une vendange tardive de Hugel qui s'exclame devant Jean-Pierre Haeberlin : « Pourquoi m'en aller ? Il n'y a pas de meilleur endroit sur terre ! »

Voyez le roi et la reine de Suède, l'appétit titillé par le voyage à qui les Haeberlin ont réservé une table en vue et qui choisissent de déjeuner comme des familiers à la cuisine devant l'immense piano où s'affairent quelque vingt professionnels en toque - une ruche bourdonnante de bruits, de sons, d'annonces de plats… Si réjoui le couple royal de découvrir les coulisses de l'Auberge…

Il faut dire que Marc Haeberlin, le fils de Paul, l'inventeur du style gastronomique de l'Auberge et de ses plats-phares a conçu et fait réaliser une superbe cuisine à multiples dépendances sur trois cent cinquante mètres carrés -

l'envoi des plats. Pendant l'hiver 1998, Marc Haeberlin s'est forgé un outil de travail ultra performant, une Rolls du piano qui fait dater les cuisines des Troisgros, de Bocuse, de Boyer et de bien d'autres. Disons que l'espace - l'ancienne écurie -

Donnant sur le jardin et la rivière, la grande salle à manger de l'auberge.

l'atelier légumes, l'atelier poissons, le coin fleurs, le garde-manger, la pâtisserie, l'espace verres, la boucherie qui cernent sans le pénétrer le saint des saints où les chefs cuisiniers découpent, saisissent, assaisonnent, concentrés sur la transformation de la matière première. Tout a été pensé pour que le coup de feu se déroule au mieux : aucun produit de base n'est préparé dans le cœur de la cuisine, centre névralgique de

était mal utilisé et que le fiston a inventé une nouvelle répartition des postes de travail, un modèle à suivre. Et dessous, deux caves climatisées.
Plus un gamin, ce doux Marc, un quadra bien dans sa peau. Sachez qu'il est entré dans la brigade voici vingt-trois ans, après une formation de pilote de Formule 1 de la table. Et en plus, il a montré très vite un sens aigu de la bonne cuisine. Dans ses veines, coule le bon sang du papa

FRANCE

Paul dont le principal titre de gloire est d'avoir appris des chefs-d'œuvre comme la timbale de sole, homard et quenelle de sandre auprès de Bernard Weber qui avait mouillé veste et toque dans les cuisines des tsars à Saint-Petersbourg. Royale et savante gourmandise sur les bords de l'Ill…

Des spécialités fameuses comme la terrine de foie gras truffée servie à la cuiller - une rareté de nos jours - le saumon soufflé et sa sauce au Riesling, les noisettes de chevreuil aux champignons des bois, la truffe en croûte de pommes de terre où le goût puissant du diamant noir est pré-

servé, la pêche blanche et son sabayon au champagne, toutes ces réjouissances ont façonné l'image et l'histoire de cette auberge fleurie, devenue un mythe vivant de la grande restauration hexagonale. Et tout cela ne vieillit pas, ces plats de haute tradition n'étant mitonnés nulle part. On vient ici pour eux, pour le souvenir ou la découverte, et ne pas les savourer peut être frustrant. Ah ! j'aurais dû prendre le premier menu, celui qui me taraudait l'esprit…
De l'importance de la mémoire à table si l'on veut retrouver ce que l'on a, une fois, aimé.

Une succession en douceur. Comme les Troisgros à Roanne et chez les Lorain à Joigny, le père fondateur a passé le relais à son fils, formé dans le sérail. Le rond Paul, bon matou à la lippe goûteuse est présent à la cuisine, l'œil aux aguets mais c'est Marc qui dirige les opérations, annonce les bons et inspecte les plats au passe. Tout vient

La brigade de cuisine de l'Auberge de l'Ill autour du chef Marc.

et part de lui. Comment vouloir briser le moule et chercher à ne pas marcher dans les traces paternelles ? Trop respectueux de l'œuvre accomplie par son père et son oncle Jean-Pierre, le farfadet des trois salles à manger - un sacré palais - Marc a pris la suite, soucieux de ne pas figer le répertoire culinaire dans le bronze, et d'inscrire un éventail de préparations nouvelles dans la longue carte des mets. Vivante est l'Auberge.

Homard et tête de veau, joues de porc et orge perlé, sandre à la compotée d'oignons et croûtons d'anguilles au vin de Bordeaux, blanc de turbot poêlé sur un risotto aux truffes fraîches de la Saint-Jean, foie chaud à la compote de betteraves aux épices, le grand Marc exprime sa passion créative, ce qui ravit les habitués, lassés du foie gras, saumon soufflé, chevreuil…

Car il y a des bienheureux qui s'assoient plusieurs fois par semaine dans les fauteuils de l'Auberge… Qui disait que l'Alsace était le paradis des fins becs ? Et nombre de visiteurs font le pèlerinage aux trois monuments gastronomiques du coin : le Crocodile, le Buerehiesel à Strasbourg et l'Auberge de l'Ill…

Le mérite des Haeberlin est d'avoir insufflé toute leur énergie à un seul établissement, évitant les succursales, les bistrots et autres winstub. Rien que l'Auberge et tout pour elle ; le formidable succès de la maison, anciennement l'Arbre Vert où l'on servait la matelote d'anguilles vient de là, de cet acharnement quotidien à livrer le meilleur de la crème - et Dieu sait que les offres alléchantes n'ont cessé de déferler… Pensez donc, le nom d'Haeberlin est un véritable passeport pour le succès de ce côté du Rhin et de l'autre, au-delà de la frontière. La famille est restée elle-même, rejetant les sirènes trompeuses : l'Auberge s'est perpétuée dans sa vérité originelle : régaler les visiteurs en sachant les aimer.

Salade de langoustines et croustillan de carottes, purée aux épices.

Assiette des prés et des rivières

Blanc de turbot sur un risotto de truffes fraîches

Côte de veau épaisse et truffe en croûte de pommes de terre

Pêche Haeberlin, sabayon de champagne

Château Fieuzal 90 Graves
Vendanges tardives 90 Hugel

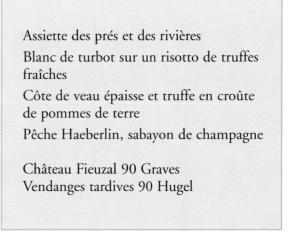

Dîner du Millénaire

Pour Gilles Pudlowski

Qui cuit les grenouilles comme Antoine Westermann ? Qui rôtit mieux la lotte immaculée, mouillée d'une réduction de vin rouge renforcée par les échalotes ? Qui sait dorer les ravioli farcis à l'oignon confit, une gâterie à l'italienne, inspirée par la sorcière de la pasta Nadia Santini du Pescatore, près de Mantoue (Italie). Le créateur du Buerehiesel, « la maison paysanne » dans le parc de l'Orangerie de Strasbourg qui a décroché sa troisième étoile en 1994, ne cesse de nous éblouir comme si la cinquantaine arrivée, il avait trouvé en lui-même un second souffle, un désir de créativité, de pureté dans le fini des plats qui le place au tout premier rang des cuisiniers français.

Certes, ce gaillard longiligne, d'une évidente tendresse est, pour beaucoup de fins becs, devenu le prince des chefs d'Alsace, une référence à de multiples niveaux : sa rigueur, sa probité, son éthique de vie le donnent en exemple. La preuve, ses confrères en savante gastronomie l'ont porté à la présidence de la chambre syndicale de la haute cuisine française, une fratrie de 90 toqués qui se posent des questions sur l'avenir des maisons de bouche soumises au diktat des 35 heures hebdomadaires. L'horloge et le temps doivent-ils être pris en compte dans le labeur quotidien du cuisinier ? « Si le client se pointe à onze heures du soir chez moi, vais-je le mettre à la porte sous prétexte que mes seconds vont dépasser le quota horaire ? s'exclame le doux Antoine, abasourdi par l'ukase socialiste. Veut-on assimiler le beau

Buerehiesel

Antoine Westermann, l'Einstein du baeckeoffe

métier de cuisinier à celui de fonctionnaire de mairie ? Où va-t-on ? Nos édiles, nos législateurs sont-ils tombés sur la tête ? »

Ce soir-là, le maître du Buerehiesel et sa bonne Viviane, si présente en salles voyaient l'avenir en noir. Aggravé, le tableau était assombri par la zizanie et les règlements de comptes qui occupaient quelques stars de la poêle, réparties en deux clans ennemis : le terroir appuyé par la tradition ou l'appel de la mondialisation ? Ce débat en forme de duel au couteau n'en finissait pas de provoquer polémiques, prises de bec et vilenies, le tout amplifié par des chroniqueurs pyromanes.

Bref, la grande cuisine française traversait un orage, et le ciel des laboratoires de saveurs et de cuissons était traversé d'éclairs vibrants : voici la Saint-Barthélemy des maîtres queux.
Tout cela, ces chinoiseries des princes des casseroles, Antoine les oublia le temps de commenter sa somptueuse carte de mets. C'est que l'appétit prime tout, surtout chez lui et que le gourmet a tout loisir de trouver dans l'admirable menu dégustation le style pur du cuisinier Westermann dans sa double vérité.
Quelle est-elle ?

L'influence de la mère alsacienne et la créativité du chercheur de goûts se lisent dans le libellé des plats, dans la manière de les préparer, dans le jeu des garnitures, des sauces et des apprêts. Le longiligne Antoine appartient à la catégorie des praticiens autodidactes qui doivent leur génie à la mère éveilleuse de sensations gourmandes, d'odeurs, de tours de main - l'initiatrice suprême. La choucroute, les schniederspaetle, ces ravioles canailles qui escortent les cuisses de grenouilles, les nouilles à l'alsacienne qui parent le jarret de veau braisé grand-mère - l'hommage est net - le baeckeoffe aux pommes de terre, la pintade en civet, le vacherin glacé à la fraise nappé de Chantilly, tout cela perpétue le savoir-faire des vestales des fourneaux des marches de l'Est. En cela, Westermann reste un homme de racines, de messages transmis : personne ne cuit les pommes de terre « roseval » comme lui, les buewe spretzle de la poitrine de pintade farcie de tête de cochon rôtie - purs délices de l'Alsace éternelle.

En tailleur rose, pimpante et réservée à la fois, son épouse mentionne à chaque table le legs de « la mère d'Antoine », ce qui n'est pas sans attendrir le gourmet. Quel sorcier du feu nourrissant peut encore citer sa maman ? Alain Dutournier, Alain Passard ?

Voici l'Alsace revisitée, réinventée par un technicien hors pair, enrichie d'une culture encyclopédique - la farine italienne pour les ravioli. Car l'humble Antoine n'ignore rien des modes actuelles, le cru, le croustillant dont il reste éloigné. Pas de concessions à l'air du temps. Il préfère se pencher sur l'admirable pâté en croûte aux strates de foie gras, de truffe, de volaille « dont j'ai surtout retravaillé la pâte, l'élément qui pêche toujours ». Une salade aux herbes, en accompagnement.

Que dire de l'épaisse tranche de foie d'oie parfumée d'un mélange d'épices et cernée par une

Le chariot de desserts à la façon de Bouise et Fernand Point.

FRANCE

La brigade de cuisine à l'heure du coup de feu, sous les cloches protectrices.

gelée au Madère et de pain de campagne grillé aux figues : le chef-d'œuvre absolu qui reflète toute la grande cuisine hexagonale classique. C'est de Charles Barrier le sage de Tours, hélas retiré des fourneaux, que l'Alsacien a recueilli la recette, estomaqué par les saveurs fortes et subtiles de la composition du grand Charles - et Antoine n'en dissimule pas l'origine. Oui, il faut une fine gelée pour agrémenter le foie d'oie. Et la figue, le fruit biblique de l'engraissement de la volaille. Là encore le suc de la mémoire.

« Il faut préserver les bases ; on s'en est éloigné, dit-il en humant la poularde. Je prétends qu'un plat est parfait lorsque les ingrédients dans l'assiette gardent leur goût originel et lorsque l'harmonie et l'équilibre règnent entre eux et que le goût n'est pas figé. »

De sa voix claire, l'œil perçant, il ajoute « la cuisine est en mouvement perpétuel ». Et

Westermann aussi car sa palette se définit selon le produit. C'est le turbot, le homard, le ris de veau, le chevreuil qui provoqueront le déclic - et la vision du plat. Ainsi, pendant l'hiver 98, le homard était cuit dans sa carapace, traité en nage avec un minestrone de légumes au fumet de crustacé : qui nierait la logique naturelle de cette composition ?

Antoine Westermann ou la fidélité. La régularité. Le dépouillement sans la nudité de l'assiette. On monte au septième ciel en quatrième vitesse et la farandole des huit hors d'œuvre - les plats de la carte en réduction - est tout un repas de gueulardises. Qu'il faut achever par la superbe tarte au chocolat et le sorbet onctueux au café. Dieu, quelles succulences !

Je l'ai dit, l'enfant Antoine cohabite avec l'adulte et le maître queux Westermann. Émouvante dualité quand la très bonne chère offre ce double miroir. Notez les deux salles au premier étage, 70 places pas plus, l'une cossue, rassurante, aux meubles bourgeois, la seconde ouverte sur les arbres du parc par une verrière transparente, une sorte de salle à manger de cabine Appolo, la voûte céleste au-dessus de votre tête. Vous y serez heureux. On peut vous envier.

Grands Alsaces à vendanges tardives.

Poulet de Bresse cuit comme un baeckeoffe.

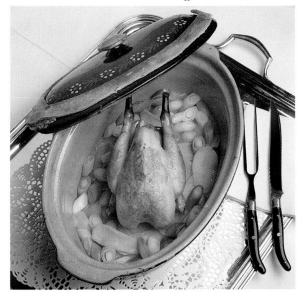

La crème d'écrevisses pattes rouges au potiron

Le schniederspaetle et les cuisses de grenouilles au cerfeuil

La lotte rôtie aux pommes de terre, petits oignons et ail en chemise

Le vacherin glacé comme l'aimait ma mère

Champagne Lanson brut noble cuvée 88
Château Grand Puy Lacoste 88
Château Fieuzal 95

Dîner du Millénaire

Pour Jean-Claude Mitanchez

FRANCE

Multiple, le personnage l'est, et réduire Bernard Loiseau à l'une de ses facettes - une remuante vedette des fourneaux - ne rendrait pas compte de la complexité de l'homme, auvergnat de naissance, bourguignon d'adoption. En lui, cohabitent l'aubergiste new look, le restaurateur parisien (Tante Louise, Marguerite), le bâtisseur, l'artiste de la poêle, la star des médias attentive à l'audimat, le provincial enraciné dans le Morvan, le clone de Bocuse et de Séguéla, le toqué saisi par le capitalisme boursier - et l'homme de cœur.

« La clé du personnage, c'est sa femme Dominique et leurs trois enfants » explique Pierre Troisgros, son maître, son modèle (avec le regretté Jean), celui qui a vu la sève du fou de cuisine monter en lui, à Roanne. C'est peut-être de Roanne, de la chaleur des fours à charbon, du climat gourmand, de l'ambiance à la fois rigoureuse et gaie du grand restaurant face à la gare qu'il faut partir afin de dénicher le sésame du bouillant Loiseau.

Après tout, s'il avait été un piètre commis, un arpète à la noix, il ne serait jamais arrivé là où il est - près du sommet - à la fin du deuxième millénaire. On sait qu'il avait punaisé dans sa petite chambre roannaise la photo des deux frères Troisgros le soir de la troisième étoile au Michelin, un jour de gloire pour un modeste restaurant de la France profonde. Enfin la reconnaissance par le plus redouté, le plus craint, le plus révéré des guides gastronomiques ! Enfin la

certitude absolue que l'on a persévéré dans la bonne voie et que l'on a décroché la timbale d'or pour ses services rendus à la bonne cause gastronomique.

Quel exemple pour le cuistot Bernard, fils d'un représentant en bonneterie et qui méditera longtemps sur le sacre des deux frères chef Jean et chef Pierre !

En acceptant le défi de Saulieu en 1975, en choisissant de relancer la Côte d'Or du grand Dumaine, abandonnée par François Minot son dauphin, le gentil Loiseau, les yeux rieurs, copain de tout le monde, ne mesure pas la galère qui va l'entraîner aux limites du K.-O. technique. Bien formé par les Troisgros, par Claude Vergé à la Barrière de Clichy, un bistrot pour palais affûtés, Loiseau découvre qu'il a les épaules, la stature, l'envergure d'un chef-patron, doté d'un savoir-faire culinaire, d'un volant de jolis plats et d'un cénacle d'amis bienfaisants. De l'enthousiasme à revendre. De la fougue. L'envie de réussir. Réussir son coup. Il le doit, car le gaillard a l'étoffe d'un ténor du chinois, comme son pote Guy Savoy : loin de nous l'idée de les voir en bricolos de la salamandre !

La Côte d'or

Bernard Loiseau, un bâtisseur au piano

Tout cela est dans la nature du gaillard Bernard. Hélas, Saulieu n'est pas dans Paris, très loin de Lyon - et la nationale 6 doublée a été anéantie par l'autoroute du sud. Le temps n'est pas si loin où, en voiture, Robert Courtine et René Lasserre mettaient trois heures et demie pour accomplir les deux cent soixante kilomètres du parcours ! Mais l'étape, c'était Dumaine, ses terrines et sa poularde truffée. Et on prenait son temps.

À Saulieu, il n'y a pas de voyageurs gourmets que l'été. Et pendant quelques week-ends de fêtes, Pâques, la Pentecôte, le 14 juillet... En dehors de ça, c'est le désert. Un village de la Bourgogne rurale qui s'anime les jours de marché. En face de la Côte d'Or, une station d'essence, et à côté du restaurant, un hôtel pour VRP ! Pas de quoi mobiliser les clubs internationaux de gourmets, et autres travaillés de la bouche ! C'est le trou, Saulieu. Et le trou noir pour l'Auvergnat.

Sans la première étoile Michelin en 1978, la Côte d'Or de Bernard Loiseau n'aurait pas sur-

vécu. Le guide rouge a sauvé le restaurant situé alors dans la salle à manger d'Alexandre Dumaine, à droite en entrant, et la cuisine si riquiqui en face. Ce sont ses dons, ses qualités, sa vista de chef inventif et traditionnel à la fois qui l'ont sorti de la mouise, qui ont été le tremplin de sa carrière - ne l'oublions pas. Le comédien bateleur, c'est pour plus tard !

Les cuisses de grenouilles, les escargots au bouillon d'orties, la côte de bœuf à la moelle, le jus simple au persil, les cuissons à l'eau, l'absence de beurre, le bannissement de la crème, la légèreté des mets, tout cela a fondé le style Loiseau amplifié par les trompettes de Gault et Millau. La nouvelle cuisine, c'est-à-dire la modernité des assiettes, elle s'est concrétisée chez lui - dans la Bourgogne du persillé et des escargots à l'ail. « Parce que c'était le vœu de la clientèle. La cui-

Créée par Bernard Loiseau, la salle de restaurant dans le jardin.

49

FRANCE

Dominique, ancienne journaliste, et Bernard Loiseau, chez eux, en Bourgogne.

sine riche, lourde, uniforme dans les saveurs, avait vécu. On est passé à autre chose. Et j'ai adapté ma carte, ma manière, ma partition à l'esprit du temps. » Il fallait oser.

On se régale chez Loiseau. Il faut le clamer bien fort à la fratrie des gourmands : le pilier des médias, son rire, ses histoires, sa faconde auraient tendance à masquer l'aubergiste qui veut le meilleur du meilleur pour ses clients amis. L'égal de Ducasse ? de Guérard ?

L'homme s'est vu contraint de jouer la comédia del arte dans les étranges lucarnes - sans promotion active de la Côte d'Or, le vent mauvais de la récession se met à souffler. On est sur la corde raide, depuis l'origine. Il faut courir à Paris, passer de TF1 à M6, de RTL à Europe 1, du *Figaro* à la librairie Hachette afin de prêcher la bonne parole et rester dans la cour des grands. Sur l'A6, la concurrence est cinglante entre les maisons de bouche.

Oui, l'Auvergnat au crâne d'œuf (un as de l'œuf cassé dans l'assiette) est devenu un personnage public qui est happé, salué, interpellé dans la rue. Oui, il consacre temps, énergie et salive à la « tchatche » dans le poste, aux interviews et aux photos. Mais la « une » du *New York Times*, quatre pages dans *Match*, autant dans *Le Figaro Magazine* et de bonnes chroniques dans *L'Express* ou *Le Point* (Gilles Pudlowski, un supporter), tour cela a pour effet de drainer la belle clientèle qui fait vivre la Côte d'Or toute l'année (soixante-cinq employés). Comment procéder autrement quand les rivaux s'appellent Jean-Michel Lorain, Marc Meneau, Jacques Lameloise et Georges Blanc ? Comment creuser son sillon, étendre son image et sa notoriété sans le secours des médias ?

À la fin du XXe siècle, le rond Bernard est l'égal de Paul Bocuse, côté popularité. Pour l'heure, en dépit de l'acquisition du restaurant Tante Louise à Paris, Loiseau est présent à Saulieu, en cuisine et en salle quand les mangeurs s'éclipsent. Il a appris à jongler avec le temps, les soirées creuses (l'hiver, dites-moi qui vient à Saulieu ?) et les fins de semaines chargées - présence obligatoire. Il sait dégager des plages horaires afin d'honorer ses contrats. Et suivre les cours en bourse de la SA Loiseau ; sans cette manne, sans cette avalanche d'écus, d'euros, la Côte d'Or n'aurait pu financer les suites, appartements, l'ascenseur et le reste : l'hôtellerie de luxe - de prix variables selon les saisons, sachez-le - est la bouée de sauvetage de la restauration étoilée. Le client qui dort permet au chef de cuire et d'assaisonner, et de cuisiner bel et bon.

La haute cuisine, ne nous le cachons pas derrière le faste et le raffinement du décor, c'est un combat quotidien. C'est du théâtre : on joue, on envoie les gueulardises mais il faut un public.

Attablé dans la salle à manger de pierres bourguignonnes, devant le jardin de curé à la géométrie en constante mobilité, le gourmet retrouve le désir des nourritures oubliées. Voici des artichauts, des poireaux, des mini petits pois, du veau de lait, des topinambours, une poularde fondante, du jambon sec, du zan pour la glace, de grosses Saint-Jacques spécialement triées pour Loiseau, tous ces joyaux de la nature perdus, niés, saccagés par la bêtise des hommes - et l'hydre de l'agroalimentaire - se donnent à vous dans leur ingénuité. La nature dans sa majesté.

En cela, la Côte d'Or demeure une source. Elle est mémoire, perception et abolition de l'oubli. Elle est le jardin du goût et l'Éden de l'enfance revécue.

Terrine de saumon et poireaux au caviar.

Terrine de saumon et poireaux au caviar

Millefeuille d'artichauts au jus de truffe

Poularde truffée Alexandre Dumaine
(deux services)

Millefeuille aux framboises, sorbet
au fromage blanc.

Brut Belle Époque 90

Puligny Montrachet Les Combettes 90
(Sauzet)

Vosne Romanée Les Suchots 78

Dîner du Millénaire

51

Pour le chablisien Michel Laroche

FRANCE

Tel père, tel fils. À la Côte Saint-Jacques, sur les bords de l'Yonne, en sortant de Joigny par la nationale 6, le proverbe se vérifie comme à Roanne chez Pierre et Michel Troisgros. En 1996, Jean-Michel Lorain, le garçon de la famille au physique d'adolescent bien sage, a pris le relais dans la cuisine : son père Michel, le créateur du relais-château, conservant pour un laps de temps la gestion et le titre de gérant.

La Côte Saint-Jacques et sa succursale le Rive Gauche, un hôtel restaurant de moyenne gamme - de l'autre côté de l'Yonne - emploient soixante-dix personnes.
« C'est l'œuvre de toute une vie », lance le père Lorain qui a su transformer la pension de famille maternelle, fréquentée par les officiers de la garnison, en une étape de gueulardise de la France des vacances. Et des week-ends de « foodistes ».

Du boudin noir cerné de pommes fruits aux pommes nouvelles écrasées aux olives jusqu'à la piscine couverte chauffée, toute l'histoire de la Côte Saint-Jacques n'est que le défi d'un bâtisseur, amoureux de la pierre et qui a, l'un des premiers, compris que la restauration de luxe ne survivrait que grâce au sommeil et au confort des clients. Cela paraît une évidence, en l'an 2000, après Georges Blanc, Bernard Loiseau, Alain Chapel, Michel Bras, Michel Guérard, Roger Vergé, Jacques Lameloise et les frères Pourcel : loger vos visiteurs gourmands et ils seront plus nombreux et plus heureux. La table et ses voluptés ne se vivent point dans le stress et des visions d'autoroutes nocturnes, quelquefois pluvieuses et verglacées !

La Côte Saint-Jacques

La maison du fils Lorain

En 1985, la Côte Saint-Jacques pouvait être fière des deux étoiles accordées à l'éventail des préparations signées Michel Lorain, la côtelette de brochet jovinienne, le bœuf bourguignon de longue cuisson, la poêlée d'écrevisses pattes rouges et le bar au caviar, plat-star de la famille.
On se régale sans mollir dans ce temple du Chablis, tout le monde est bichonné surtout les Belges, les clients-roi - pensez donc à quatre heures de Bruxelles, un avant-goût du paradis. Au-dessus du restaurant, de style provincial cossu, de gentilles chambres accueillent les gourmets alpagués par le pinot noir du chambertin de Faiveley, et le marc du domaine de la Folie à Chagny. Le sommeil réparateur est hélas quelque peu perturbé par les molosses sur pneumatiques de la nationale 6 : on peut préférer d'autres mélopées. Et le silence bienfaisant.

La douce Jacqueline et son mari Jean-Michel encaissent des plaintes répétées. « Ah ! le dîner nous a emballés mais la chambre, vous repasserez. Ce n'est pas ça ! » Que faire ? L'Yonne si paisible est en face, de l'autre côté de la nationale, voilà le site idéal pour un vrai hôtel d'étape - en rapport avec la tenue de la chère.

La nationale chère à Trenet, c'est l'obstacle. On ne saurait inviter les dîneurs à la traverser : ils ne sont pas descendus dans un gîte rural ! L'ingénieur des Ponts et Chaussées du secteur refuse systématiquement tous les projets du père

Lorain. C'est un obtus. Un soir, Lorain exaspéré suggère à son interlocuteur le creusement d'un tunnel. « Oui, un tunnel qui passerait sous la nationale, filant des salles à manger à la résidence hôtelière à bâtir.
- Pourquoi pas, dit l'ingénieur. C'est excitant. Trouvez le financement. »

Un an plus tard, la Côte Saint-Jacques était métamorphosée en relais hollywoodien dont les grandes chambres et appartements - avec cheminées et terrasses - donnent sur les eaux calmes de l'Yonne. Petit déjeuner sur l'herbe et bronzette en string, le rêve quoi, pour l'ancien marmiton moustachu qui cuisait si bien le boudin de maman.
L'Yonne et la fascination pour la rivière des Bourguignons du nord ont contribué à changer l'allure - et le destin - de cette hostellerie si accueillante, et si proche de Paris (1h30). Au-delà des lieux réinventés, modifiés par la vision

de Michel Lorain, l'insatisfait permanent, l'aventure de cette famille exemplaire riche de trois couples scellés par le cœur battant a pris un nouvel élan par la présence du fils, ce premier de la classe culinaire, le fort en thème à l'humble démarche, le successeur « qui ne s'est jamais opposé à moi », dit son père reconnaissant devant la mère admirative.

Des bons sentiments ! Des gens qui se respectent, qui s'aiment, qui recherchent le meilleur pour leurs clients sans forfanterie, cela existe plus qu'on ne le croit dans le cénacle des ténors de la haute cuisine. Il n'y a pas que des règlements de comptes attisés par des échotiers !
Un exemple. Dans les années 90 alors que la Côte Saint-Jacques arbore ses trois étoiles, le père et le fils au piano pour les deux services imaginent une carte des mets originale ; d'un côté les plats de la tradition Lorain comme le

Le restaurant au confort bourgeois, bon chic bon genre.

FRANCE

bourguignon compoté ou la tourte de caille au foie gras (une splendeur) et la truffe aux choux ; de l'autre, les nouveaux plats tels la terrine d'huîtres, le cochon de lait croustillant à l'orge perlée, la daurade aux épices : le symbole ne saurait être plus fort. Quatre mains, deux styles, et l'on peut à l'heure du choix panacher l'ancien et le moderne.

L'expérience a pris fin car cette double carte, bien claire et alléchante, troublait le public, à l'exception des connaisseurs attirés par le défi. L'idée n'a pu que séduire les inspecteurs du Michelin, préoccupés par l'évolution de la bonne cuisine. Au diable, les rengaines et les modes qui se démodent.

Seul aux fourneaux, Lorain junior fait bouger la maison, à chaque renouvellement de la carte, deux fois par an. Il bouillonne d'inventions, lui le prince des chutneys, l'as du mélange aigre-doux. En mars 98, il conteste l'idée de « cuisine du terroir » : cela n'a aucun sens dans la Bourgogne de l'an 2000.

Maîtres d'hôtel en smoking, plats clochés.

« Si l'on veut mitonner la cuisine du terroir bourguignon à la façon de ma grand-mère, les écrevisses ne viennent plus des rivières mais de Hongrie, les escargots d'ailleurs, les poissons

L'hôtel et le bateau vus des rives de l'Yonne à Joigny.

blancs sont souvent d'élevage, clame-t-il. Dans le sud-ouest oui, il y a des produits du terroir, foie gras, truffes et haricots en tête. À l'heure où l'on fait l'Europe, je dispose des meilleurs produits tels l'agneau des Pyrénées, le homard de Bretagne, les bars du Guilvinec, les Saint-Jacques d'Erquy, les volailles de Bresse, les légumes de partout. Il ne faut pas s'enfermer dans un carcan idéologique. »

Sachez-le : le coq au vin de Bourgogne c'est un leurre.

Au printemps 98, l'avisé Jean-Michel a adhéré au groupe des huit, une escouade de chefs-patrons à l'âme voyageuse qui militent pour la pluralité des cuisines - Marc Veyrat, Michel Troisgros, Olivier Rollinger, Alain Passard, Jacques Chibois, Michel Bras, Pierre Gagnaire prônent les recettes et produits d'ailleurs, l'exotisme bien tempéré, la créativité stimulante et l'ouverture des fenêtres. « Ma cuisine n'a rien de bourguignon confesse-t-il. Je veux prendre des risques. »

Dans sa tête rumine le projet d'installer le restaurant en bordure de l'Yonne. Comme le nouvel hôtel de papa. Jean-Michel en a-t-il assez de ce décor « bourgeois » qui a bercé son enfance et ses débuts en toque ? Probablement.

« Jean-Michel doit se sentir chez lui. Pour l'heure, il travaille avec sa femme Brigitte dans la maison de son père et de sa mère, réplique Michel Lorain, bon papa, et cela dure depuis dix ans. C'est un quadra même s'il ne fait pas son âge. Il est temps qu'il adapte la Côte à sa guise. Il est responsable de la cuisine, je suis responsable de Jean-Michel ! »

À quand le nouveau restaurant sur l'Yonne ? Les plans sont tracés, le devis achevé. La gamberge a commencé.

Tronçon de turbot de ligne cuit en croûte de sel, émulsion au lait d'amandes.

Grosses langoustines bretonnes, oignons nouveaux, céleri-branche et cristes marines, nage au thym citron

Daurade royale rôtie au plat et petits maquereaux, pommes de terre à l'huile d'olive

Côte de veau de lait, crème de petits pois au lard, topinambours truffés, jus à l'arabica

Assortiment de cinq desserts

Chablis Grenouilles Michel 96
Meursault Perrières 93

Dîner du Millénaire

55

Pour Jean-Marie Pinçon

FRANCE

Un enfant aux traits fins gambade dans le parc du château familial des Crayères, sur les hauteurs de Reims. Ses parents, les Polignac habitent le château de pierres blanches, le seul qui ait jamais appartenu à une famille noble régnant sur une grande marque de champagne, Pommery. En face, de l'autre côté de la route nationale, le vignoble maison, les ceps de chardonnay et de pinot cernent les bâtiments de la célèbre marque, les chais, les bureaux, et les caves historiques où l'on pénètre par un majestueux escalier de plus de deux cents marches : le silence crayeux enveloppe les millions de cols qui mûrissent dans ce dédale de couloirs et de celliers.

Alliés au Pommery par mariage, les Polignac gèrent le glorieux destin de ses cuvées « royales » expédiées à travers le monde. Depuis la fin de la Seconde Guerre mondiale, Pommery est resté dans le giron familial des origines. Vaille que vaille, la marque a survécu sans être cédée à un prédateur à l'image de Mercier happé par le futur géant Moët et Chandon. Il faudra attendre les années 80 pour que les bruts Pommery tombent dans l'escarcelle de Xavier Gardinier, un homme d'affaires français, spécialisé dans la récolte des oranges en Floride - par ailleurs un vigneron dans l'âme, propriétaire du Château Phélan Ségur à Saint-Estèphe. En mettant la main dans les années 80 sur Pommery et Lanson, deux marques rémoises jumelles, Xavier Gardinier trouvait dans la corbeille le Versailles des Pommery Polignac.

Que faire de ces Crayères, imposante bâtisse cernée par un parc vallonné - un monument historique rémois ? Que faire de ce château de taille humaine si ce n'est un confortable relais pour les amoureux de la Champagne éternelle, de ses vins, de ses crus - de l'air frais qu'on y respire ? Ce fut le projet de Xavier Gardinier, gentleman de la « haute », à la distinction naturelle et au goût sûr. Un château gourmand pour célébrer le vin des sacres dont les cuisines seraient tenues par Boyer père et fils, les meilleurs cuisiniers de la région.

Les Crayères

Gérard Boyer, un Auvergnat chez le prince champenois

Par chance, Gaston et Gérard Boyer, le père et le fils, avaient réussi dans les années 60-70 à attirer dans leur Chaumière, à l'entrée de Reims, le gratin des gourmets champenois qui se régalaient de terrines épaisses, de poulardes dodues, de gros turbots au champagne dûment arrosés - et le Michelin avait accroché les fatidiques trois étoiles au palmarès de cette maison de bouche, la première de la Marne des coteaux. Pas rien.

Père et fils, convaincus par la faconde toute amicale du président de Pommery et Lanson envisagèrent le transfert aux Crayères - à rénover - sans palabres inutiles. Le défi tentait les trois hommes, ainsi que la belle Élyane Boyer, l'épouse et la reine de la demeure princière.

Après tout, le champagne des rois, des comtes et des récoltants n'avait pas eu de restaurant-phare jusqu'aux Boyer à l'heure où le vin des sacres entamait une profonde démocratisation. Par bonheur, les Boyer étaient et sont des accros du vin blond !

Décorée par Pierre-Louis Rochon et Élyane Boyer, la salle à manger du château.

Le château des Crayères, un relais-château en Champagne.

Et puis la Loire a les Troisgros, les Lyonnais Bocuse et Chapel, la Bresse Georges Blanc, le nord de la Bourgogne la Côte Saint-Jacques des Lorain, Saulieu a la Côte d'Or de Bernard Loiseau, Vezelay l'Espérance de Marc Meneau, les Landes Michel Guérard avec les Prés et Sources d'Eugénie, l'Alsace les frères Haeberlin et le neveu Marc chef de l'Auberge de l'Ill, Gaston et Gérard Boyer devaient porter bien haut le message bienfaisant de la terre champenoise : le vin des sacres est un ferment du bonheur. Et les Crayères un royal écrin.

En 1985, Antoine Riboud, nouveau maître de Pommery et Lanson reprit le flambeau laissé par Xavier Gardinier, mû par la même volonté : conforter les Boyer dans leurs choix. Ne pas s'immiscer dans le métier de restaurateur inconnu des cadres de Danone.

FRANCE

De fait, l'avisé Gardinier, comme le seigneur Riboud ont bien vu que les Boyer étaient des partenaires loyaux, sensibles et perfectionnistes. Depuis les années 90, le relais-château de Reims n'a cessé d'occuper la première place dans la hiérarchie des adresses phares de la prestigieuse chaîne ; dans le genre « luxe » bien tempéré, on ne fait pas mieux en France. Les enquêtes, sondages et multiples rapports de visiteurs le disent : les Crayères rassemblent les cinq critères de qualité relais-châteaux à la puissance dix.

Ce n'est pas que tout y est mieux qu'ailleurs, le confort, le caractère, le calme, la cuisine, la convivialité - c'est que l'harmonie de l'ensemble, des plaisirs de la table, aux détails d'ameublement, atteint une sorte de perfection.

Dénigré par les envieux ou les pisse-vinaigre, les Crayères reste le modèle du style châtelain dépourvu de pompe, d'emphase, de faux-semblants. Ce n'est pas comme chez soi, c'est mieux que chez vous, du petit déjeuner au moment « cigare » de la nuit quand le champagne désaltère encore et toujours.

« Ce que j'ai retenu de notre partenariat avec Xavier Gardinier, c'est qu'on ne triche pas, révèle Gérard Boyer, une flûte de Noble Cuvée à la main. On ne triche pas avec les chiffres, la fréquentation, la rigueur et le bilan des résultats - bien évidemment. Mais surtout on ne mégote pas sur la qualité des produits de base, le homard breton, le bar de ligne, la volaille de Bresse ; et on soigne le moindre détail dans le décor, le coup d'œil, l'environnement. Par exemple, les tableaux, les moquettes et les rideaux. Au tapissier René, nous faisons donner des cours de drapé pour le personnel. Élyane et moi sommes devenus intraitables sur les matières, les tissus, les luminaires. Tout cela peut paraître bien étrange dans la bouche d'un chef de cuisine. Peut-être. Il me semble que la réussite des Crayères est due à une somme de facteurs dont

Le salon d'accueil sous la verrière 1900 pour savourer les bruts.

la décoration, pas seulement des chambres et suites, est l'un des atouts majeurs. Après tout, les visiteurs passent de quatre à cinq heures chez nous pour jouir d'un seul repas. »

Filet de Saint-Pierre rôti aux légumes de Provence, sur tomates confites et tapenade à la truffe.

L'élève de feu Delaveyne du Camélia à Bougival - le sorcier du rognon cuit dans sa graisse - est aussi le disciple du chef d'orchestre René Lasserre dont l'établissement parisien acquis par des Suisses reste une sorte de référence dans la catégorie « monument historique de la table ». Si Gérard et Élyane Boyer ont beaucoup œuvré pour le champagne, la région et l'AOC, la restauration aux petits soins des Crayères reste l'instrument de cette réussite. Il y a eu comme une osmose entre les pierres et le couple, un échange invisible - d'où l'âme joyeuse de ce château réanimé.

Et l'avenir ? Les Boyer, n'en doutez point, sont très attachés à ce château si familier aux gourmets français, belges, allemands, anglais…
« Comme je n'ai pas de successeur, j'ai choisi mon fils en la personne de Thierry Voisin, mon chef si talentueux qui assurera la pérennité des

Crayères. Attention, je ne songe pas à ma retraite. Élyane et moi aimons cette maison qui ne doit pas vieillir et qui nous aide à vivre - le personnel, les clients, les amis, les fleurs du parc…»

Signe de reconnaissance envers la terre de Clovis et Dom Pérignon : Gaston Boyer faisait de la cuisine au champagne. Son fils Gérard fait des plats pour le champagne - afin de mettre en relief les mets et les bruts si divers, cuvées et millésimes de ce terroir dit pouilleux, ô combien noble et beau (10 000 bouteilles ouvertes par an, un record).

L'enfant des Crayères, devenu le prince Alain de Polignac, érudit et mélomane compose depuis un quart de siècle les cuvées Pommery. C'est le plus fidèle des fidèles aux Boyer. Œnologue au palais affûté, il a maintenu le style des bruts, la finesse et la pureté alliées à l'équilibre des saveurs. Le message de la moustille élégante s'est transmis grâce à son savoir-faire et sa mémoire. Et son château a survécu. Chapeau ! Les Crayères témoignent, grâce aux Boyer, d'une certaine éternité de la Champagne des rois, des prélats et des bourgeois.

Salpicon de homard breton sur un risotto aux aromates

Turbot clouté aux truffes, crosmesquis de foie gras

Volaille de Bresse à la farce de volaille truffée

Crème brûlée de New York

Noble cuvée 88
Château la Lagune 82
Porto Noval 77

Dîner du Millénaire

FRANCE

Pour Jacques-Louis Delpal

Une crème d'homme, Émile Jung, l'Einstein du foie gras frais. Dans le regard, de la douceur, et une approche naturelle des gens. L'homme a trente ans de métier, les pieds dans son pays natal et un palais de polytechnicien du goût - il fut pendant vingt-cinq ans le président des sommeliers alsaciens, le premier maître queux de l'hexagone à impliquer le vin dans sa cuisine. En cela, un pionnier du savoir manger et boire à la française. Sa carte des vins, un chef d'œuvre, a été couronnée en 1998 par le prix Gosset Celebris. Cet Alsacien pur jus aurait pu être le Rastignac de sa terre gourmande, il en avait la stature intellectuelle mais pas l'arrogance.

Premier chef star de l'histoire à Strasbourg, tout comme son ami Jacques Puisais, le grand Émile est de la caste des humanistes de la gourmandise noble.

En 1971, il prend le risque d'abandonner l'auberge familiale de Masevaux (Haut-Rhin à quinze kilomètres de Thann) et il installe ses fourneaux au Crocodile, à deux pas de la place Kléber, dans une ruelle sombre surplombée par la flèche de la cathédrale. Chef patron de la future capitale européenne, le voici au piano aux côtés de sa femme Monique, décidé à gravir les échelons de la gloire culinaire car ce grand gaillard a de l'ambition à revendre, le goût de la chère bien ouvragée et un penchant prononcé pour les défis.
À l'époque, il n'y avait sur les rives du Rhin que deux références majeures : Paul Haeberlin, l'âme de l'Auberge de l'Ill et Pierre Gaertner, aux Armes de France à Ammerschwihr (Haut-

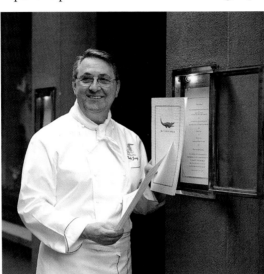

Le Crocodile

Émile Jung, un aventurier au grand cœur

Rhin), deux solistes talentueux qui avaient appris les bases Escoffier dans les brigades de palaces et chez Fernand Point l'Impérator de Vienne, près de Lyon.

À Strasbourg, quelques adresses honnêtes de winstub dont la célèbre Adrienne et deux tables étoilées au Michelin, c'était tout. Lyon et la Bresse devançaient de très loin Strasbourg et l'Alsace. Tout changera dans les années 90.

Alliant des papilles royales à une technique sans faille, Émile Jung fut le pionnier de la haute cuisine à Strasbourg et dans les environs. Aux plats des débuts comme la crêpe Petite France à la mousse de brochet et aux épinards, l'oie aux marrons, il ajoute la très fine caille confite au foie gras Maréchal de Contades, la première spécialité du Crocodile, un must. Présent en cuisine et en salle, affable et réservé, Émile Jung, secondé par sa fée à l'œil vif, va réussir à imposer son registre de cuisine savante, axée sur les cadeaux de la nature (asperges) et les produits de saison. Pas de charcuteries, ni de choucroute, mais le fameux baeckeoffe de viandes qui s'enrichira du seul foie gras de canard en terrine chaude.

D'un classicisme rigoureux, Émile et Monique Jung polarisent la belle clientèle de la métropole, hommes politiques, fonctionnaires internationaux et businessmen locaux dans un décor archétypique de la restauration française pompidolienne puis giscardienne : boiseries plaquées, murets fleuris comme chez Lasserre, petites lampes sur les tables bien séparées, moquette souple et un personnel attentif, près des clients. On limite les couverts.

Tout cela, cette mise en scène du moment de gueule se perpétue aujourd'hui - au Crocodile et dans la plupart des étoilés Michelin d'Europe. Quelques pisse-vinaigre s'en gaussent, moquent le conformisme de l'environnement - faux luxe et apparat fabriqué.

Où sont les nouveaux décors, les bouleversements de l'œil et du climat ? Qui invente de nouvelles ambiances ? Qui osera faire surgir l'esprit du Cirque de New York en France ?
En Europe, le confort prime tout, tant mieux. Prenons nos aises, disait le regretté Robert Courtine lequel appréciait la discrète élégance du Crocodile, agrémentée depuis peu par des

mobiles floraux pendus à la verrière centrale. Doit-on distraire le mangeur de sa félicité - vaste question ?

En 1985, Christian Millau écrit qu'il a savouré son meilleur repas de l'année chez les Jung. L'ascension au Michelin ne fait que commencer. Monté dans le train de la cuisine dite nouvelle - comment faire autrement ? - Émile Jung recherche la légèreté des apprêts et la personnalisation de l'assiette avec un souci constant des garnitures. Il dépouille les fumets, bannit les fonds et songe déjà à ce qui sera sa constante obsession : nourrir ses hôtes en préservant leur santé. En cela, il calque sa démarche sur celle de Michel Guérard et d'Alain Senderens ; il s'agit de sortir de table avec le désir d'y retourner quelques heures après.
Passons sur le fait qu'il s'efforce dès les premiers mois de présenter un éventail très complet de

Sous la verrière décorée, la belle tapisserie dans la salle à manger.

FRANCE

Autour d'Émile Jung, la brigade de cuisine trinque et se détend à la fin du service.

poissons et crustacés - la suprême rareté sur les bords du Rhin non encore dépollué. Le sandre sera l'un de ses poissons fétiches.

« Servir l'ami de la même manière que l'inconnu », lumineuse devise, instillée au personnel par le couple Jung. Monique jamais absente ajoute : « il faut aimer les clients. »

De la percée du Crocodile naîtra une génération

Une des plus belles caves de France.

de chefs alsaciens dont le plus coté reste, à côté de Marc Haeberlin, le cher Antoine Westermann, inventeur du Buerehiesel dans le parc de l'Orangerie. « J'ai été son lièvre », note avec humour Émile, un verre de Muscat à la main.

Les deux hommes en toque se font une imperceptible concurrence, ils ont eu la bonne idée d'harmoniser leurs dates de fermeture. Sur quatorze services par semaine, il n'y en a que deux où Antoine et Émile doivent se partager le cénacle des gourmets. De l'un à l'autre, l'itinéraire du « fin bec » à Strasbourg.

Des débuts hésitants à la vitesse de croisière d'aujourd'hui, le Crocodile s'est maintenu au sommet car son mentor en veste blanche a su évoluer. Avancer. Se modifier. L'Iroquois de passage prendra le sage Émile pour un queux rivé à la tradition, un rien passéiste. Rangé des casseroles créatives. Grave erreur. Émile est un chercheur, un bosseur stimulé par l'équipe de jeunes ténors qui le secondent en cuisine. « J'écoute le plaisir de mes sens qui dictent à ma conscience ce que je dois mitonner et vers où m'orienter. » Bien dit ; la cuisine, comme une épure.

Salade de fèves et brick de pigeon à la menthe d'El Mabala, foie gras poêlé à la rhubarbe et au gingembre, carré d'agneau à la coriandre et polenta aux pimientos, le style Jung n'a jamais été plus mouvant, plus sinueux, plus sensible à l'air du temps - ce qui plaît à Bernard Naegellen, le patron du Michelin. Et aux Jungistes. D'où l'extraordinaire fidélité de sa clientèle : quatre-vingt-cinq pour cent des mangeurs sont venus au Crocodile au moins trois fois. Les prix doux - carte et menus - favorisent ce lien.

De la créativité ? Des assiettes qui transportent et dépaysent ? Voici un hommage gourmand au fabuliste La Fontaine, un autre à Jacques Brel et à la cuisine belge - l'anguille qu'Émile a souvent travaillée. L'autre mois, c'était un menu « Campagne d'Égypte » aux goûts de l'Orient, agrémenté de

Repas d'amoureux pour Émile et Monique.

hiéroglyphes de Louxor (feuillage gravé), d'oasis vertes pour le Kefta d'agneau aux citrons confits et des dunes de riz suivi du crocodile en pâte et de la pyramide à la fleur d'oranger - un voyage sensuel de la bouche à l'esprit.

Oui, nous sommes à mille lieues de la truffe en surprise et de la côte de veau en cocotte à l'ail doux, savoureux piliers de la carte. Vous dirais-je le plat qui m'a le plus remué, un soir de printemps : le lobe de foie de canard cuit tel un baeckeoffe escorté d'un très beau Tokay 94. Pour moi, toute l'Alsace d'hier et d'aujourd'hui dans l'assiette - ah, la géniale cuisson du lobe comme du foie de veau - un souvenir en acier.

Lapereau en gelée de sarriette et foie d'oie, lentilles à l'avocat

Salade de fèves et brick de pigeon à la menthe

Lobe de foie de canard truffé cuit tel un baeckeoffe

Pêche blanche en gelée de verveine

Muscat 1997
Riesling Engelbert 83 J.P. Bechtold
Tokay pinot gris 94 Cave de Pfaffenheim
Riesling grains nobles 89 J.P. Hartweg

Dîner du Millénaire

FRANCE

À la mémoire d'Alain Chapel

En 1998, Georges Blanc a fêté ses trente années de présence à la tête de l'entreprise familiale de Vonnas, les trois restaurants, les trois hôtels, le château d'Epeysolles, le vignoble d'Azé (cent cinquante mille bouteilles), la société de négoce, les boutiques, la marque et le foncier afférent à la multinationale du petit-fils de la mère Blanc, morte dans son lit en soufflant à Georges : « N'oublie pas le filet de citron sur le poulet en fin de cuisson. Ça donne du goût. » Ce fut le début de la saga Blanc.

Trente ans de bons et loyaux services et un empire façonné sur la place du village de Vonnas, dans l'Ain, à une dizaine de kilomètres de Mâcon. De l'auberge campagnarde où la mémé Élisa donnait à manger aux marchands de bestiaux de la Bresse jusqu'à l'espace Blanc de la fin du siècle, un quadrilatère d'enseignes - le grand restaurant, l'ancienne auberge, le café terrasse, les boutiques groupées autour de l'épicentre vonnassien - il y a un monde : celui de la paysannerie des fermes alentour transformées en un complexe hôtelier et gourmand voué aux plaisirs de la bonne vie et du carpe diem. Le fils Blanc, comme on l'a longtemps appelé dans le coin, n'a eu qu'une obsession : développer l'affaire familiale, et l'adapter à la marche du siècle. Son physique d'adolescent à la voix douce ne plaide pas pour lui, pour ce qu'il est au tréfonds de lui-même : un investisseur patient, un bâtisseur qui a vu loin - plus loin que ses confrères en toque. Ce n'est pas fini.
Le premier, il a senti que le restaurateur de province devait se doubler de l'hôtelier et qu'à la

Georges Blanc

L'île aux plaisirs

bonne chère devaient s'ajouter des loisirs, de la culture et du bien-être. Piscine, tennis, et la piste d'hélicoptère, le Bressan a été moqué. La folie des grandeurs ! Et un hôtel au-dessus du restaurant. Où est passé le cuisinier, légataire des tours de mains et du savoir-faire de la mère ?

Dans les années 70-80, le gône du village joue les pionniers dans le sillage d'Alain Chapel, l'ermite de Mionnay, génial concepteur de la poularde Albuféra et de la rouelle de langouste. Il s'agit de retenir la clientèle ! De la loger, de la distraire…
« Je n'ai jamais pensé que le développement hôtelier, cinquante chambres en 1999, les diverses prestations et l'embellissement du site nuiraient à la qualité de la cuisine », confesse le président directeur général en toque, prêt pour le service du soir. « Ma préoccupation première reste la carte des mets que je modifie quatre fois par an, la recherche des plats originaux, et le maintien des classiques de la région, la poularde de Bresse en tête. »

En 1981, Georges Blanc a décroché la troisième étoile Michelin, laquelle récompensait la fidélité à un terroir ô combien béni pour les gourmets. Grenouilles à l'ail, gâteau de foies blonds, volaille à la crème, crêpes vonnassiennes, écrevisses pattes rouges, le répertoire un brin allégé allait de soi. Le petit-fils de la grande Élisa aurait pu toute sa vie surfer sur la vague fumante de la mémoire, en ajoutant à la partition, les crustacés, poissons fins et gibiers mitonnés par toutes les nobles tables de France.

64

Le bar de ligne marinière, le panaché de la mer aux épices datent des premières inflexions, suivies du parmentier au caviar vers la cuisine d'ailleurs mais il ne s'est jamais coupé de sa région, des gens du coin, des bourgeois de Bourg, de Mâcon… et

emblématique de la maison. Le peuple rêve de se nourrir comme les princes qui le gouvernent ! À noter qu'Helmut Kohl a repoussé le gâteau de foies blonds disant au maître d'hôtel « qu'il ne mangeait pas de champignons ».

L'auberge du village et le souvenir de la mère Blanc.

de Genève. C'est pourquoi l'enseigne « Mère Blanc » a laissé la place à « Georges Blanc ». Sachons faire évoluer les marques…

Aujourd'hui, l'offre gourmande, l'une des plus riches de la grande restauration française se lit dans les différents menus ; « harmonie gourmande autour du légume », « terre et mer », « mariage d'été », « la Bresse en fête », ou « la Bresse dans l'assiette » proposés à la carte. Là, figure le fameux « poulet de Bresse comme au G7, sa sauce au foie gras et les gousses d'ail », composé par cinq stars étoilées du lyonnais pour les chefs d'État et de gouvernement réunis à Lyon le 27 juin 1996. C'est devenu le plat

La restauration moderne, c'est bien plus que de la bonne cuisine, ce principe des relais-châteaux fut celui de la plupart des trois étoiles de province. Georges Blanc n'a cessé de le mettre en pratique dans son fief de Vonnas.

L'empire Blanc, disséminé autour du centre de Vonnas - et son chiffre d'affaires de quatre vingt cinq millions et cinq millions de bénéfices - font des envieux. En dix ans, près d'un milliard dans la caisse ! Qui dit mieux ?

« Vonnas, c'est à lui », entend-on dans les rues du bourg et sur les bords de la Veyle.

Le Bressan est jalousé, vilipendé, banni.

FRANCE

Certains toqués de l'est de la France le vouent aux gémonies et souhaitent qu'il n'ait plus de responsabilités au sein des instances de la grande cuisine française. Par chance, il s'est rangé du côté du trio de pointe ; Robuchon, Ducasse, Loiseau, défenseurs d'une certaine tradition culinaire ouverte aux influences extérieures, et il ne se sent pas seul. Flamboyante, la réussite de l'homme qui sait rester discret suscite des hordes d'ennemis et de cinglantes vilenies. « Le Crésus de la Bresse ne fait jamais le cuisine ; son bilan seul, le profit et sa fortune immobilière - sans parler de sa cave élue numéro un en France par le Wine Spectator 98 - ont de l'intérêt pour lui. La défense du poulet de Bresse et sa promotion dans le monde sont d'abord les siennes. »

Le petit Blanc n'est pas prophète dans son pays natal et cela le peine. Il embellit Vonnas de ses deniers, il illumine les lieux, il veut édifier une fontaine au milieu de la place entre ses deux hôtels et on lui cherche des noises. Il propose à l'un de ses voisins de repeindre la façade de sa demeure en harmonie avec l'ensemble architectural : niet !

« Je n'ai pas de volonté hégémonique, confesse-t-il, je cherche à donner de la beauté. Les touristes sont heureux. Pas les vonnassiens. Le petit café restaurant, installé sur les bords de la Veyle est un lieu de vie et de convivialité. Qui le nierait ? Vonnas a une autre allure que du temps du troquet de la mère Blanc. Il faut être aveugle ou borné pour ne pas le voir ! »

Palabres et billevesées n'empêchent pas le tenace Georges d'aller de l'avant - dix pour cent du

Carrelages et voûtes bourguignonnes, l'une des salles à manger.

Une cave d'exception comme à la Tour d'Argent.

Fondant de poularde de Bresse au foie gras.

chiffre d'affaires réinvesti chaque année dans le groupe. Ses contrats de « consulting » lui assurent des revenus personnels conséquents, l'agroalimentaire à venir et les plats estampillés Blanc pour Singapour Airlines - le seul chef français à bord. Et la vérité oblige à dire que les résultats chiffrés sont en progression constante - jusqu'à plus de vingt-six pour cent dans certaines branches du groupe.

Et demain ? Le petit-fils de la mère Blanc né en 1943 n'a aucune envie de prendre sa retraite, encore moins de lever le pied. À l'image de nombre de « super actifs », le portable à la main, c'est la charge de travail quotidienne qui crée de l'énergie. Et le plaisir d'entreprendre ! « On me paie pour faire ce qui me plaît : des recettes nouvelles, des chambres, des salons de réception, et l'accueil des clients. Pourquoi cesser ? »

La relève, elle est là. Son fils Frédéric, né en 1960, excellent saucier est désormais le chef de cuisine du restaurant trois étoiles. Le cadet est en stage dans des maisons prestigieuses et il regorge d'idées, ce qui ébahit son père. L'épouse et mère Jacqueline, jamais absente, à l'œil exercé

a aidé, épaulé, secondé son capricorne de mari dont elle connaît les foucades et les emportements. Georges Blanc est un lion aux dents longues dont les humeurs restent imprévisibles. Se connaît-il lui-même à la fin des fins ?

Parmentier de caviar
Poulardes comme au G7 au foie gras et ail
Le grand dessert G. Blanc

Lanson Blanc de Blancs
Mâcon Azé 90
Château Potensac 90

Dîner du Millénaire

Pour le vigneron Robert Skalli

FRANCE

En 1987, des jumeaux au crâne déplumé, Jacques et Laurent Pourcel, nés de parents vignerons dans le Languedoc du gros rouge retapent une baraque des faubourgs de Montpellier, squattée par des paumés zonards et, dix ans plus tard, les deux garçons, au physique d'adolescent, sosies parfaits sont promus dans l'élite des trois étoiles français pour le Jardin des Sens - au même rang que les stars en acier, Pierre Troisgros, Alain Ducasse, Georges Blanc, Bernard Loiseau, Michel Guérard et Pierre Gagnaire, leur maître à cuire et à penser.

N'oublions pas Alain Chapel, Michel Trama et surtout Michel Bras, l'alchimiste solitaire de Laguiole qui leur a communiqué le feu sacré. La cuisine d'art pour la vie, à la mort !

Vertigineuse ascension comparable à celle de Joël Robuchon, ce qui a estomaqué les deux frères : ils n'en croyaient pas leurs yeux et leurs oreilles jusqu'au 4 mars 1998, jour du verdict du guide rouge. « Un authentique miracle, avoue Jacques Pourcel, le plus communicatif des deux, car la première étoile ne date que de 1989, soit dix-huit mois après l'ouverture du restaurant. Le Michelin n'a pas tardé ! »

Coup de cœur du guide rouge - après le sacre du Gault et Millau 98 ?
« Nous suivions le parcours des Pourcel depuis des années, a confessé Bernard Naegellen, le patron tout puissant du Michelin. Nous avons apprécié l'originalité de la carte, la personnalisa-

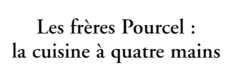

Le Jardin des Sens

Les frères Pourcel : la cuisine à quatre mains

tion des plats, des mélanges, des goûts, l'ambiance du jardin. Et le sérieux de Jacques et Laurent. »

La situation géographique a-t-elle joué ? Le seul trois étoiles ancré dans le Midi, sur la route des vacances, avec le Louis XV à Monaco, très excentré, à la frontière italienne. Pas tout près pour les vacanciers du Nord ! Tant que l'Oustau de Baumanière, le Moulin de Mougins, l'Oasis à la Napoule, pionniers du Michelin moderne n'auront pas retrouvé les faveurs des inspecteurs gourmets, il faudra dénicher la perle rare ailleurs. Sera-ce l'Auberge de Jacques Chibois à Grasse ? Où diantre envoyer les lecteurs mangeurs ?

À Montpellier, le Jardin des Sens, une création bienvenue pour le midi de la France, a rencontré illico un public, des fidèles parmi les jeunes de la région, et une sorte de plébiscite pour l'excellence des prix (menu cadeau) et des plaisirs de bouche.

Dira-t-on que le guide de la maison de pneumatiques clermontoise a pris le train en marche et volé au secours du succès ?

Et que la funeste mésaventure de Pierre Gagnaire à Saint-Étienne - fermé pour cause d'absence de clients - a porté sa leçon ?
Aussi bien, l'extrême qualité des humanités culinaires des deux frères, la quête du meilleur chez Trama, Gagnaire, Bras et leur indéfectible achar-

nement à sortir du lot, tout cela n'a fait que plaider en leur faveur. Disons que le Michelin, à la prudence du Sioux, couronnait en 1998 le trois étoiles le plus populaire de France, le plus gai, le plus décontracté - l'anti-Ducasse de Paris et de Monaco si l'on veut. Et ce n'est pas fini : la troisième étoile a apporté 30 % de clients en sus. Énorme bond.

Narrée de la sorte, la belle aventure des premiers jumeaux de la grande cuisine française a l'allure d'un conte de fées : la typique « success story » de la restauration haut de gamme comme on n'en voit plus. Tout autre est la réalité des faits.
Majeur, le risque existait. Construite de leurs mains, truelle et béton à Montpellier à la fin des années 80, une enseigne de cuisine française

Lignes pures, au décor moderne.

très élaborée - le contraire d'une brasserie bon enfant - cela relève du défi. C'est planter un verger dans le Sahara, chercher des truffes dans la Beauce. La population de la ville universitaire et des environs ne connaît alors de la bonne chère que la pizza-spaghetti sauce tomate et la paella aux crustacés décongelés des bistrots à bières et pastis. Le désert, quoi.

À Sète et dans les environs, à Bouzigues par exemple, l'influence maritime a maintenu en activité une poignée de cuistots consciencieux qui savent accommoder la bourride et des poissons à la planche - toujours l'Espagne si proche. Pour le reste de la population, c'est l'indifférence. Pire, l'ignorance telle qu'au restaurant, on ne sait pas s'il faut réserver sa table…

« Quand nous servions des calamars en amuse-bouche, les clients les renvoyaient parce que ce n'était pas les plats commandés », se souvient Jacques Pourcel mi-figue mi-raisin. En fait, nous avons dû faire l'éducation du public, apprendre à nos clients l'art de goûter et d'apprécier notre cuisine. Pour les vins, domaine plus ardu, notre associé Olivier Chartier nous a donné un véritable enseignement, le verre en main. »

Par chance, la clientèle s'est montrée réceptive, curieuse et fidèle. La percée du Jardin des Sens a été régionale comme l'Auberge de l'Ill des frères Haeberlin en Alsace. Ce sont les gens du coin, particulièrement les générations estudiantines à l'esprit irrigué par les choses de la culture qui ont forgé la notoriété du Jardin des Sens. Normal, direz-vous, les jumeaux sont des jeunots, Jacques et Laurent ont à peine dépassé l'âge des chères études, trois étoiles à trente-trois ans, le record d'Alain Ducasse à Monaco égalé si les conditions n'ont en rien été les mêmes.

À Monaco, l'Hôtel de Paris est le seul palace de légende de la Côte d'Azur, le fleuron de l'Empire SBM. Le surdoué Ducasse a tous les moyens nécessaires à son ascension - la belle cuisine, le personnel, la Rolls des restaurants de la Côte. À

FRANCE

Interchangeables au piano, les deux frères, ici Laurent, offrent une cuisine du Sud.

Montpellier, les Pourcel n'ont eu qu'un maigre emprunt, du talent et les leçons de créativité apprises chez leurs aînés.

Avec en plus, un atout inhérent à leur naissance : la formidable complicité générée par la gémellité. C'est peu dire que Jacques et Laurent sont liés, soudés, impliqués comme les doigts de la main. Au piano, un regard suffit pour se comprendre. Un cœur double, le même sang, la même sensibilité à la gestuelle culinaire.

Aux poissons et aux desserts, voici Jacques, arpenteur des halles de Sète. Aux entrées et aux viandes, voici Laurent, qui fut, quatre ans, le second de Michel Bras. Les plats-vedettes du Jardin des Sens ont jailli de ce jeu de ping-pong fraternel devant les produits du marché. Ainsi sont nés les bonbons de foie de canard crous tillant aux pommes de terre, l'aigre-doux de

purée à la vanille et salade à l'huile de colza grillée, le risotto crémeux aux fruits secs, le loup au four et sa fricassée d'escargot, le turbot aux pieds de porc… Mariages de funambule : le ris d'agneau et la queue de homard, le granité à l'orange et à la gelée…

Seuls, les deux frères en conviennent, dans le bain de la restauration de luxe, ce style de recherches - sur le fil - est complexe à mener. Séparés par leurs années d'apprentissage, ils ont souffert de l'éloignement ; c'est pourquoi ce jardin montpelliérain a été d'abord leur projet commun, le fruit de leur gémellité. Aujourd'hui que les trompettes de la renommée les ont propulsés dans le cercle des « Top Twenty », ils n'ont garde d'oublier le rôle d'Olivier Chartier, le sommelier directeur, qui a cru à l'aventure, dès le début.

D'autres personnages de la scène languedocienne ont pressenti l'exceptionnel destin des Pourcel : le producteur de vins de cépages Robert Skalli, fils d'un viticulteur pied-noir, l'inventeur du Fortant de France, des sauvignons, chardonnays, merlots, syrahs, cabernets, embouteillés dans les entrepôts du port de Sète (trois mille barriques de chêne). Homme d'affaires d'une rare clair-voyance - il avait prévu la révolution mondiale des vins de mono cépage - Skalli a contribué à faire connaître le Jardin des Sens. Lors des débuts hasardeux, il a convié ses amis, ses rela-tions, des journalistes dans les salles à manger des deux frères. Cela s'appelle « faire des addi-tions », lesquelles sont le poumon des restau-rants, n'en doutez point.

Au printemps 98, Skalli a sorti de ses chais trois vins : deux rouges de merlot et cabernet, un blanc de Sauvignon baptisés « Réserve F » spé-cialement conçus pour les mets des deux frères. Des bouteilles en exclusivité mondiale pour eux, (70 000 en tout). Qui dit mieux ? Comme les Troisgros et leur gamay des côtes roannaises, bien à eux.
Le petit hôtel de quatorze chambres, mitoyen du restaurant a été financé par un client, Mr Chauvin, propriétaire d'un laboratoire ophtal-mologique dont le siège est à Montpellier qui a eu la bonne idée de prendre le relais des banques, lâches, lâcheuses et dépourvues de vision à court terme.

Des lignes modernes dans l'architecture de l'hôtel et du restaurant, de vastes espaces sur le jardin, une sorte d'esprit zen, relevé d'influences japo-naises pour les couleurs - le designer - Bruno Borrione est le bras droit de Philippe Stark. Ces lieux de vie et de plaisirs ressemblent à la cuisine des jumeaux. Inimitable, dépaysante, truffée de surprises, d'incongruités apparentes. L'avenir dira si les Pourcel parviendront à se renouveler en sachant raison garder. Les Pourcel voyagent peu, sauf pour Vinexpo à Bordeaux, tous les deux ans : la table de Robert Skalli Fortant, c'est eux. Le gourmet ne les perdra pas de vue.

Pressé de homard aux jeunes légumes et jambon de canard.

Rissole de tomate et anchois au basilic

Risotto crémeux aux fruits secs

Loup au four et artichauts

Granité d'orange et gelée

Réserve F. Sauvignon 96
Réserve F. Cabernet Sauvignon 96.
Réserve F. Merlot 96

Dîner du Millénaire

FRANCE

Pour le Bourguignon et Champenois Patrice Noyelle

Pâté en croûte de mon grand-père et sa gelée truffée, poêlée d'escargots de Bourgogne au coulis de persil et sa peau d'ail, grenouilles à la bressane, purée de pommes de terre et tomates croustillantes, filet de bœuf aux échalotes confites et beurre rouge, gâteau moelleux coulant au chocolat amer et sa glace au pain d'épices, la somptueuse litanie des plats lameloisiens mettrait en appétit, - en transes ? - n'importe quel moine cistercien (l'ordre de Dom Pérignon) voué au jeûne diurne, tout comme elle ne cesse depuis plus de vingt ans d'emballer les papilles des gourmets de tous bords qui font halte dans cette auberge villageoise.

L'imposante bâtisse de pierres blanches se dresse plantée dans la Bourgogne des grands crus et des seigneurs du Pinot noir et du Chardonnay, les Ramonet à Chassagne-Montrachet, Henri Jayer à Vosne-Romanée, Anne-Claude Leflaive à Puligny, la famille Lafont à Meursault, Hubert de Villaine et Henri Roch à la Romanée Conti sans parler de Lalou Bize et son domaine d'Auvenay - les meilleurs vins du monde ou presque, la maintenance des cépages historiques dont cette terre bénie est l'humus, la source, l'essence.

« En Gironde, le vin a quelque chose d'océanique, de cosmopolite et d'extraverti. En Bourgogne, il est terrien. C'est le sang d'un pays, un suintement sacré, l'expression d'une fierté individuelle », écrit le Bordelais Pierre Veilletet dans son admirable récit *Le vin, leçon de choses* .

À quelques kilomètres de Beaune, capitale des crus de Bourgogne depuis le chancelier Nicolas Rollin, fondateur des Hospices de Beaune, vous êtes ici à Chagny, sur les Champs-Élysées bourguignons, au cœur d'un terroir vénéré par les fins becs et les gueules en pente. La vigne, cette ensorceleuse, souligne Jean-François Bazin historien de la Bourgogne, agit comme un aimant sur le cerveau du mangeur labouré de fantasmes gourmands, de l'œuf en meurette à la tourte de gibier à l'Armagnac. Et je ne dis rien des aiguières remplies de Corton Charlemagne à la robe d'or et de Corton Grancey à l'étoffe soyeuse.

Lameloise

Le changement dans la continuité

Ici, c'est le pays du « Roi des bons vivants » selon le mot de Maupassant à propos du Corton. C'est le berceau du Meursault, « la beauté même » selon Bazin, que le cardinal de Bernis lampait dans les burettes de la messe « afin que le Créateur ne me voie pas faire la grimace au moment de la communion ».

Grand voyageur et fieffé bon dégustateur, Stendhal le notait déjà : « À table, les Bourguignons ne parlent que de leurs vins, de leurs mérites comparatifs, de leurs défauts ou leurs qualités, et l'ennuyeuse politique si impo-

lie en province est laissée tout à fait de côté. »
Ah ! la juste observation !

Il est près de 17 heures chez Lameloise en ce
samedi férié de printemps et le bon Jacques, 52
ans, a envoyé quatre-vingts couverts dont
quelques grosses tables nichées dans les caveaux
rustiques de la maison familiale. Tout le monde
est encore à table, certains à peine parvenus aux
fromages frais et affinés, d'autres au premier dessert, prélude à la grande assiette de chocolatier
escortée de marc de Bourgogne, de la divine
liqueur de prunelle (30°) du maître liquoriste
Joannet et l'animation des salles à manger est
aussi vive qu'à douze heures trente quand les premiers bons de commande ont atterri sur le passe
du chef patron. Ici, le repas est plus proche des
agapes anciennes, pour ne pas dire des baccha-
nales chantées par Ausone - c'est la tradition

bourguignonne qui le veut : la bonne chère et les
vins accaparent le temps. Vivre pour manger,
chez Lameloise, cela ne choque personne.

À l'heure où le soleil décline à l'horizon, tandis
que des Anglais de la « haute » surgis en Bentley
Turbo sollicitent une *cup of tea* au salon, les
rouelles de rognon de veau aux baies de cassis et
le pigeonneau à l'émiettée de truffes et pommes
soufflées occupent l'ensemble des convives aux
joues rouges. La France de la gueule béate passe
par Chagny, croyez-en un témoin actif qui a joué
de la fourchette et du cristal dans ce lieu mémorable.

Quatre à cinq heures la serviette autour du cou
à mastiquer et à mouiller le palais, cela n'étonne
personne. Beaune, un vrai dortoir hérissé d'hôtels, envoie des clients à tous les restaurants de la

Lameloise, *une étape choisie sur la route des vacances gourmandes.*

73

Jacques Lameloise, un chef patron qui a formé des dizaines de commis et seconds.

région, et les professionnels du vin, toujours à l'affût de bouteilles et de millésimes, forment l'essentiel des bataillons de travaillés de la gueule, fidèles à la maison Lameloise. Du printemps à la vente des Hospices de Beaune (le troisième dimanche de novembre), Lameloise reste l'adresse-phare pour les vacanciers, les baladeurs et les marchands de vin (septembre et octobre, les meilleurs mois). D'où cette cave riche de 50 000 flacons et les 700 références de vins de Bourgogne, un véritable trésor - tout comme celui des Millésimes à Gevrey Chambertin, un restaurant étoilé, couronné en 1999 pour sa carte des vins, une véritable bible de tout ce que la Bourgogne produit, vinifie, élève - pour la joie du gosier.

« Je fais une cuisine qui me convient, que je sens, jouant le produit, sa juste cuisson et les garnitures de saison », confesse Jacques Lameloise. De la tradition bourguignonne, il reste quelques ingrédients majeurs comme les écrevisses de Saône, les grenouilles de Pologne revivifiées dans les Dombes, et les escargots d'élevage style « petits gris » et je ne dis rien des marchés bien approvisionnés. Je propose un sandre de rivière pêché de la nuit, et c'est bien. La cuisine du midi a tout envahi, il faut bien maintenir les racines, le legs du passé. Cela ne m'empêche pas de travailler l'huile d'olive, le rouget, les artichauts, les poivrons, les tomates en nage. »

En 1999, Jacques Lameloise a fêté ses vingt années de trois étoiles au Michelin. Le mari au rire sonore de la brune Nicole, qui a l'œil à tout, est désormais seul maître chez lui. En décembre 98, le bon Jean, son père est allé rejoindre Fernand Point, Jean Troisgros, Jean Delaveyne, Raymond Oliver, et Jacques Pic au paradis des queux, et il a bien fallu assumer la succession pour les quatre enfants Lameloise. Attaché au relais gourmand de Chagny qui s'est développé grâce à son talent et sa créativité - depuis le coquelet Janick -, Jacques Lameloise a racheté, au début 99, les parts de ses frères et sœurs, s'endettant pour de longues années. Mais il est chez lui - des murs au garde-manger. C'est bon pour le moral du chef-patron, pour son énergie à renouveler la carte, à former ses commis et seconds, pour l'avenir d'une des meilleures tables de France. Et de bon rapport qualité prix. Pas cher !

Dirait-on qu'il y a un fossé entre l'art de Marc Veyrat, de Pierre Gagnaire ou de Dieter Müller et le style classique noble de Jacques Lameloise ? Oui, nous ne sommes pas dans le même monde culinaire et cela ne peut que satisfaire le gastro-nomade. Pourquoi souhaiter l'uniformité des grandes tables ? Et comment pourrait-elle exister dans les faits, la nomenclature des plats ? La diversité est la norme dans la haute cuisine et le Michelin l'encourage par les recommandations souterraines de Bernard Naegellen.

Régalez-vous, amis gourmets, chez Jacques Lameloise. Laissez-vous aller à l'ivresse d'un festin de vraie succulence vécu dans l'instant mais qui marquera votre mémoire.

Dégustation dans les caves de Chassagne.

Ris de veau et croustille de pommes de terre et coulis de petits pois.

Lameloise

Foie gras aux figues

Pressée de cuisses de grenouilles aux tomates confites et crème d'ail

Fricassée de volaille de Bresse et morilles fraîches

Parfait au pain d'épices et sabayon à la vanille

Champagne Besserat de Bellefon
Chassagne Montrachet Morgeot 92 Colin
Clos de Tart 85 Mommessin
Liqueur de prunelle Joannet

Dîner du Millénaire

Pour l'unique Dominique, bien sûr

FRANCE

N'en doutons point, le parcours extraordinaire du Landais Alain Ducasse s'est dessiné dans les sous-sols et la salle à manger-musée du restaurant Louis XV de l'Hôtel de Paris à Monte-Carlo. C'est là, sur la place du casino monégasque, que l'ancien chef du Juana, un excellent hôtel-restaurant de Juan-les-Pins a pris conscience de ses multiples talents de cuisinier, de manager, d'organisateur - un praticien rigoureux des casseroles doublé d'un intellectuel de la gourmandise, passionné par les voyages, l'ailleurs et les défis.

À Monaco, principauté d'opérette gérée comme un établissement financier de Wall Street, la SBM lui a donné tous les moyens de réussir, un salaire de président-directeur général, une cuisine de paquebot, tout le personnel désiré, et surtout les pleins pouvoirs dans le palace légendaire cher à Winston Churchill. C'est la ritournelle entendue, celle que préfèrent les ennemis en toque, les détracteurs venimeux de l'ancien second d'Alain Chapel à Mionnay - son maître. Du tout cuit. Une route bien balisée et l'appui du Prince Rainier III, de son fils Albert, et de tout le toutim de la surpuissante SBM.

Tout cela est bel et bon mais ne conduit pas à la consécration du Michelin. Avant Ducasse, le néant culinaire ou presque. En mars 1991, le Louis XV d'Alain Ducasse obtenait la troisième étoile jamais accordée à un restaurant de palace. Une première historique dans les annales de la table en France et en Europe, une date à mar-

quer d'une pierre blanche : l'Hôtel de Paris réussissait l'exploit tant désiré par le Ritz, le Crillon, le Plaza, le Bristol, le Meurice, le Savoy, le Palais à Biarritz, le Connaught de Londres, le Brenner Park allemand et le Cipriani de Venise. Stupéfaction générale et coup de chapeau. En quatre années de présence aux fourneaux, Ducasse décrochait la timbale d'or à laquelle ses pairs en toque avaient renoncé.

L'autonomie complète du Louis XV, une entrée séparée dans le hall, le nom d'Alain Ducasse sur le dais, deux jours de fermeture et une cuisine-laboratoire vouée aux soixante mangeurs par repas, le Michelin ne pouvait que s'incliner ; les règles non écrites - pas de banquets ni de room-service - étaient respectées et la grande cuisine de la Méditerranée mise en valeur par un cadre admirable allait bouleverser n'importe quel gourmet.

Le Louis XV

La dream-team d'Alain Ducasse

Dans le libellé des plats, le Landais aux fines lunettes retrouvait le phrasé simple de Fernand Point, de Michel Guérard et d'Alain Chapel : légumes des jardins de Provence mijotés (ah ! le mijot ancestral) à la truffe noire écrasée, huile d'olive de Ligurie, balsamique et sel gris ; daurade royale de la pêche locale du jour au plat, jus de bouillabaisse, courgettes, trompettes et fenouil fondants ; dos d'agneau des Préalpes piqué à la sarriette, à la cheminée, girolles, courgettes, raisins et aubergines, jus à l'aubergine… Et l'on ne dira rien des plats de la « cucina italiana » intégrés à merveille dans la nomenclature gourmande, les pâtes demi-séchées (chez Ducasse à Paris depuis

Le Louis XV à l'hôtel de Paris, la plus belle salle à manger du monde ?

1997), les ravioli d'herbes et de ricotta poudrés de parmesan, escortés d'artichauts violets et de caillé de brebis puis l'éventail sidérant des risotti au parmesan, aux girolles, aux gamberoni (chef-d'œuvre), au céleri, aux cèpes…

Le meilleur cuisinier italien du monde officiait dans un palace rococo de Monaco, et il a appris l'art de cuire la pasta et le reste auprès d'une mère landaise puis de chefs prestigieux ! Eh oui,

la grande cuisine moderne est d'abord affaire de culture et de savoir-faire.

Depuis des années, le bureau d'Alain Ducasse dans les coulisses du palace 1900 regorge de pâtes, de spaghetti, de sachets de risotto et d'huiles d'olive. L'homme, infatigable arpenteur de restaurants d'Italie, d'Espagne, des États-Unis, d'Amérique du Sud, d'Asie est un fouineur né, un dragueur de recettes, de tours de main, de produits comme l'étaient Raymond Oliver et Roger Vergé, l'un des pères spirituels de Ducasse à Mougins.

À l'heure où l'on vantait le retour au terroir, le legs du passé, le culte des racines (la tambouille de nos aïeux), Ducasse mettait dans le mille. Au Juana, chez Vergé, à l'Amanguier de Mougins dont il fut le chef exécutif (étoilé au Michelin dans les années 80), il cuisait l'agneau de Sisteron, le loup aux légumes à l'huile d'olive et, surgissant dans la principauté en 1987, il enrichissait sa palette de grands plats classiques

Sur la façade, l'enseigne et le nom du chef.

FRANCE

nobles : foie gras, homard, veau de lait, poulette des Landes afin de boucler une carte trois étoiles.

N'oublions jamais la panoplie des amuse-bouche au San Daniele, et encore moins les desserts de Frédéric Robert à damner un saint, les fraises des bois dans leur jus tiède et sorbet mascarpone, le Louis XV au chocolat croustillant, et le sublime vacherin vanille-fraise. De la volupté pure.

Ici, dans ce salon d'apparat aux portraits et miroirs, la seule exigence quotidienne a été le souci de perfection. Les pains inégalables, goûtez l'accordéon au maïs, la découpe en salle des

Monte-Carlo ? Six étoiles pour un même chef de cuisine, cela ne s'était jamais vu. Il a fallu choisir et Bernard Naegellen, patron du guide rouge, a couronné le Louis XV. Sans mobile apparent. Et pour quels motifs ?

Il est bien évident que la « dream-team » monégasque n'avait rien à se reprocher, véritable Rolls Royce de la haute cuisine, plébiscitée par les visiteurs. « Ce fut un choc terrible, se souvient Frank Cerruti, chef permanent du Louis XV, nous ne savions pas, Alain Ducasse et moi, quels étaient nos fautes, nos manquements, nos ratages. Un flot de lettres acerbes contre nous,

Dans les cuisines, un sous-sol de palace, le chef Frank Cerutti, enfant de Nice.

volailles dont la canette farcie aux olives d'Italie, le chariot de fromages et l'herbier en pots pour les tisanes fraîches : la leçon de haute restauration n'a pas d'égale en Europe. La table la plus emballante du Michelin européen ? On peut le penser.

Là dessus, une catastrophe en mars 1997. Imprévisible, le Michelin saisi par un étrange penchant pour le châtiment des stars tant aimées, enlève une étoile au Louis XV et pare de la triple couronne le restaurant d'Alain Ducasse à Paris, successeur de Joël Robuchon. Un coup d'encensoir à Paris. Un coup de couteau à

des inspecteurs du Michelin mécontents, des dénonciations ? Le chef Ducasse et moi, nous étions assommés et perplexes, que faire ? Moi, je savais que chaque jour, nous donnions le meilleur de nous-mêmes et toute la brigade avec moi. Au rayon des produits, nous n'avions pas été trahis. »

Alors ? Trop de recettes italiennes au détriment de la grande cuisine française ? Non. La carte, déclinée de façon originale : « le potager », « la mer », « à l'italienne », « la ferme », « les pâturages » comporte en 1999 plus de ravioli, de risotti, de macaroni, et les fameuses pâtes sèches de Toscane que jamais, à quoi s'ajoutent les petits farcis niçois, la poitrine de pigeonneau des Alpes accompagnée du foie de canard aux pommes de terre de montagne sur la braise au jus goûteux et abats et herbes - deux des « must » du Louis XV que le restaurant de Paris ne reproduit pas. Seul le baba au rhum est identique. Une recette gagnante. Il n'y a pas de plats en duplicata : à Paris, la haute tradition hexagonale depuis Brillat-Savarin jusqu'à Alain Chapel, et à Monaco, les sources et racines de la Méditerranée jusqu'au Maghreb (tajine aux abricots). Tout cela, en bonne logique, sans confusion possible.

Passant outre les élucubrations et supputations provoquées par le verdict du Michelin, Franck Cerruti drivé par son mentor Alain Ducasse est allé de l'avant, constatant que la fréquentation du Louis XV ne se trouvait en rien affectée par la sanction du guide rouge - les gourmets vrais ne sont pas des moutons.
Et puis, l'avisé Cerruti ne s'est pas laissé abattre. Débauché en 1996 au Dom Camillo, une table niçoise où il envoyait des préparations « nissardes » et maternelles - les tians de légumes - ce garçon au visage d'angelot vénitien, élève de Maximin du Chanteclerc du Négresco et de Ducasse au Juana n'a cessé de se sortir les tripes au milieu de ses vingt cuisiniers et pâtissiers motivés par le challenge imposé : reconquérir la troisième étoile, ce qui fut fait le 4 mars 1998 - l'injustice flagrante réparée.

Le globe-trotter Ducasse se repose sur le super technicien Cerutti, trente-huit ans, vingt ans de métier dans la restauration de luxe dont douze mois à l'Œnoteca de Florence. Tous deux gambergent et mettent au point les cartes selon les saisons - deux kilos de truffes blanches par semaine, un record. Le duo est fort en thèmes culinaires et de ce ping-pong à base de recettes et apprêts divers (le riz carnaroli pour le risotto) prennent forme les réjouissances salées et sucrées du Louis XV. À deux, en cuisine, on est meilleur que seul - voyez les frères Pourcel. C'est ce que prouve à l'évidence le duo du Louis XV moné-

Filet de loup poêlé, beignets de pommes de terre aux olives.

gasque et du restaurant Alain Ducasse à Paris : l'échange, clé de la créativité en cuisine. Ainsi se justifie la récompense suprême accordée aux deux établissements pour le Michelin 97 et 98. À quand le troisième restaurant ? Au chevalier Ducasse, rien d'impossible.

Risotto aux gamberoni et copeaux de bonite séchée

Turbot aux légumes en cocotte, huile d'olive Pousson, fleur de sel

Canette de Bresse fourrée aux olives taggiasche, céleri, cuisses aux figues et poires

Vacherin vanille-fraise

Noble Cuvée de Lanson 88
Clos d'Ière Cuvée II Côte de Provence
Saint-André de Figuière 93

Dîner du Millénaire

Pour Henri Delbard

FRANCE

Au bout de la route, le choc. Et la lumière. Vous êtes monté sur le plateau de l'Aubrac, laissant derrière vous le bourg bourdonnant de Laguiole, capitale du couteau d'art, et vous voilà au sommet, si souvent enneigé, devant l'hôtel restaurant de Michel Bras, un bloc architectural posé sur le granit, étrange construction de verre et de minerai qui domine l'horizon. Loin de tout, à 1200 mètres, le toit du monde, « un lieu de vie façonné dans un esprit d'harmonie totale avec le paysage », écrit le chef-patron, cuisinier plus qu'inspiré par son pays, enraciné dans la terre de l'Aubrac qui l'a vu naître. Son humus.

Il faut mériter Michel Bras. De Rodez, une heure trente de voiture par la nationale puis, à travers d'immenses pâtures arpentées par des troupeaux - l'homme se fait rare mais Michel Bras, quinquagénaire au regard d'acier a choisi ce refuge montagnard quasi monastique par amour de la nature - restée intacte. Austère non, dit Bras, apaisante et belle.

Michel Bras

Le chantre de l'Aubrac

« Cherchez la cistre. Cette plante nous est chère. Elle résume notre amour pour cette région, notre approche du goût, de la cuisine et de la vie. Elle raconte notre histoire. Loin de la civilisation, elle s'épanouit ici en altitude. »
Le message de Bras, l'Aveyronnais est limpide : son approche gourmande reste intérieure, ce qui n'exclut pas la volupté. Tout dans ses assiettes est émotion et sensibilité : voyez le gargouillou, son plat-phare, ce méli-mélo de jeunes légumes colorés, craquants, savoureux, une mise en bouche à nulle autre semblable.

En 1992, Michel Bras, sa femme Ginette et Sébastien, le fils, font le grand saut dans l'inconnu. Ils décident d'abandonner le tumulte commercial de Laguiole et de s'installer là-haut sur la montagne, dans ce désert de verdure dont le marcheur Michel connaît les sentiers, ces drailles et puechs, qui couturent les pentes et où pousse la flore des fleurs, plantes et herbes si excitante pour le cuisinier aux fines lunettes.

En bas, dans l'ancien bistrot de ses parents, Lou Mazuc, son père, ancien maréchal-ferrant et sa mère, vestale de la braise, l'autodidacte Bras touillait les casseroles depuis l'âge de quinze ans. Il n'a que le CAP, et ne connaît aucune des tables prestigieuses qui font le parcours initiatique d'un chef moderne. De sa mère, experte en blanquettes, tripoux, aligot, il a reçu le feu sacré et le goût des bonnes choses comme ce lapin sauté « mitonné avec trois fois rien ».

Michel Bras, qui va devenir en 17 ans, - première étoile en 1982 - un super technicien comme Guérard ou Ducasse, est l'enfant de la cuisine des pauvres. En cela, son itinéraire ne ressemble à aucun autre. Sans lui, sans son enseignement, Jacques Pourcel du Jardin des Sens ne serait pas ce qu'il est.

Qui aurait osé investir l'un des sommets de l'Aubrac ? Le froid, la neige, le gel interdisent toute migration et condamnent ce relais-château, perché dans le ciel, à une fermeture de novembre à fin mars - cinq mois sans client. Un rude défi surtout quand le 19,5 du Gault et Millau, et le deux étoiles du Michelin ont fait de l'enfant de Laguiole un chef-star que les gourmets du globe veulent découvrir. Songez qu'il y avait dix pour cent de Japonais chez lui - bien avant le coup de tonnerre dû à la troisième étoile en mars 1999 !

Comment exister dans ce lieu lumineux « où seul l'infini interrompt le regard, où le granit et l'ardoise suggèrent les burons, un spectacle de totale beauté ». Intelligent, cultivé, mais surtout mû par une obstination quasi religieuse, Bras a senti qu'il devait forger une vraie cohérence entre la nature du lieu et sa culture culinaire. Il fallait une unité de pensée et d'action afin de faire surgir d'authentiques correspondances façon Baudelaire, entre l'air et l'assiette, le paysage et les nourritures, la paix du site et la rigueur des compositions gourmandes. Sur ce plateau nu, illuminé par l'astre solaire, il s'agissait de faire vivre aux visiteurs une expérience hors du commun. Et d'abord, que la chère raconte l'endroit.

Le lait, le pain, l'amande, les fromages de montagne, la viande de bœuf, l'aligot de la mère Bras, ce sont les fondements de l'esthétique culinaire du personnage. Personne ne travaille le lait entier comme Bras, mélangé à de la truffe, de l'huile d'olive - une étonnante mise en bouche. Tout le récital des plats est orchestré autour de ces cadeaux de l'Aubrac, enrichi d'oxalis, de la baselle aux feuilles mucilagineuses, de graines germées et de radis-navets.
« Je suis fasciné par la beauté du règne végétal. Si je mets un brin de pimprenelle dans un plat, ce n'est pas pour le décor ou le folklore, c'est un geste pensé. Si dans mon agneau aux choux, j'ajoute des zestes d'orange, c'est par référence à Noël, c'est l'offrande du fruit, un petit rien qui dit beaucoup. La lotte à l'huile d'olive noire, c'est une composition d'ombres et de lumières, issue de mon regard posé sur l'Aubrac. Mon pays vit dans mes assiettes. » À l'amer, au sucré, salé, acide, il a ajouté le craquant, le fondant, le chaud et le froid.

Décor modernissime face au plateau nu : la rigueur Bras.

FRANCE

Intellectuel et sportif, Michel Bras est l'auteur et l'exécuteur de ses plats contemporains.

On voit que le style Bras ne s'apparente à aucun autre. De la création culinaire, il dit que c'est une bulle où il entre différents éléments comme l'émotion, le goût, la lumière - en cela, la gestuelle de Bras va bien au-delà du simple assemblage d'ingrédients du marché.

Le montagnard, le poète, l'humaniste, le botaniste contemplatif cohabitent en lui, sans oublier le coureur à pied, le marathonien de New York et du Médoc qui se ressource ainsi. L'ambition avouée du queux à l'ordinateur - du légume à éplucher au traitement de texte - reste de faire partager l'amour de sa terre et sa sublime beauté. Le voyage au-dessus de Laguiole peut modifier les visiteurs « qui doivent se déshabiller des oripeaux de la ville car ici on oublie tout pour mieux se souvenir ».

Dans cette salle à manger dépouillée, il n'y a pas de nappes juponnantes et l'on ne change pas de couteau, votre compagnon entre les plats, que l'on doit essuyer sur la miche. À l'heure où chez Lasserre à Paris, le toit ouvrant découvre le ciel, chez Bras, les jeunes serveurs abaissent les stores afin de tamiser les rayons du soleil. À chaque table, son rite.

Contemporain, nullement passéiste, le projet de Bras est tourné vers l'avenir. Sa maison aux lignes futuristes s'inscrit dans l'environnement local, sans l'ombre d'une provocation. L'Aubrac, c'est comme un monde englouti surgi du granit et du basalte, ce qui n'empêche pas le queux de prendre toute sa liberté dans l'assiette en inscrivant des lignes, des traces de couleurs et de goûts. Comme chez Gagnaire, et l'ami Rollinger.

Pigeon cuit rosé, gros turbot, foies gras aux girolles et orange, le répertoire du longiligne Michel est en constante évolution. Du chou-fleur qu'il caresse en le respectant au biscuit tiède au chocolat coulant, une invention qui a fait des petits, Bras reste un artiste à part fécond en canailleries - c'est son vocable - qui réveillent en vous l'enfant gourmand. Au mur, dans son bureau ouvert sur la cuisine, ce pense-bête : casse-croûte pour Monsieur le curé.

Boules de céréales soufflées au chocolat.

Biscuit tiède au chocolat coulant et cornet glacé au turron.

Foie de canard poêlé, poireaux et girolles et orange

Turbot croûté aux mousserons, moelles de choux et girolles, jus d'ail

Pièce de bœuf fermier Aubrac, beurre fondu d'herbes, aligot

Biscuit tiède de chocolat coulant

Duo d'abricots rôti et glacé

Marcillac rouge 96
Rivesaltes rouge Gauby

Dîner du Millénaire

FRANCE

Pour Frédéric Dard

En l'an 2000, Paul Bocuse aura 75 ans, « un jeune homme », écrit Gilles Pudlowski. Amaigri, fringant, volubile, le grand Paul continue à voyager sur la planète, à observer les bruits divers de la restauration, à explorer des villes, des états, des continents - l'Australie, les États-Unis et Berlin, une métropole d'avenir où le Lyonnais au regard d'enfant envisage d'ouvrir une brasserie, « l'Ouest » après « le Nord », « le Sud » et « l'Est » installées dans la cité d'Édouard Herriot et qui font un malheur. Toujours sur la brèche, depuis trente années, atteint par le syndrome du mouvement perpétuel, Bocuse a montré à ses confrères en toque qu'un maître des casseroles pouvait se forger une seconde vie en dehors de chez lui. Voyez Ducasse aujourd'hui.

Au XXᵉ siècle, la France de la gueule a connu une césure radicale : l'avant et l'après Bocuse. Pas seulement à cause de l'irruption de la cuisine dite nouvelle dans le train-train de la restauration française - Bocuse a été le ferment, le lien, la caution entre les Guérard, Troisgros, Senderens, Meneau. Le Lyonnais a exporté un état d'esprit : la cuisine des restaurants appartient aux cuisiniers. Et non plus seulement aux gens d'affaires et aux groupes financiers. La prise de pouvoir par la génération montante est allée de pair avec la mise en place d'une pratique moderne de la façon de nourrir les clients. Le chef est l'auteur responsable de ce qu'il envoie. « Je suis convaincu que la nouvelle cuisine a plus été une affaire d'hommes que de plats. » Juste vision des choses.

Paul Bocuse

Un jeune homme de 75 ans

Tout en restant un cuisinier enraciné dans le terroir, la Bresse, le Lyonnais, un florilège de recettes - le gône Paulo a contribué à bouleverser les statuts de la haute restauration. La gloire du goût sur les bords de Saône a rejailli sur le petit peuple des queux, seconds, chefs de partie et commis. C'est grâce à lui et aux fraternels Troisgros que la lumière s'est faite sur une profession ô combien noble - Carême, Nignon, Alibab, Escoffier, Fernand Point - trop souvent cantonnée dans les sous-sols enfumés des monuments de la restauration française. Dicton nouveau : je cuisine, donc je suis !

L'ensemble de la corporation est unanime sur ce point : Paul Bocuse, par son charisme, son aura naturelle, son franc-parler est devenu le leader, le phare, le *pater familias* de l'immense cohorte des toqués. Il incarne l'art de cuire et d'assaisonner. Il parle en leur nom, il a fondé Euro-toques avec Pierre Romeyer, le Paul Bocuse belge (6 000 cuisiniers) et il a inventé, en 1987, le Bocuse d'Or, les jeux Olympiques de la poêle qui réunissent à Lyon tous les deux ans la crème des professionnels de vingt-quatre pays dont la Chine en 1999. Le Lyonnais, en prenant de l'âge, a encore accru son prestige inégalé sur ses frères en gueulardise : pas un seul cuisinier dans l'hexagone ne met en doute sa stature hors du commun. C'est le premier de cordée. Chez lui, à Collonges au Mont-d'Or, dans cette auberge aux couleurs Disney, il règne sur le personnel à la manière d'un chef de tribu. Quand il sort de la cuisine et salue tous les clients, c'est la

Tout le confort bourgeois pour une fête de la gueule à l'ancienne.

statue du commandeur qui se meut, le sourire aux lèvres, bonhomme fraternel avec les visiteurs gourmets : la star en toque vous salue bien.

Gloser à perte de salive sur ses absences prolongées, sur sa nature de globe-trotter, sur son rôle d'ambassadeur reste un débat stérile. Il a prouvé que les seconds de cuisine avaient la capacité de se hisser au niveau du chef patron, surtout quand ils sont motivés, doués et rigoureux : Roger Jaloux, MOF 76, son disciple le plus

L'auberge lyonnaise à la Disney.

FRANCE

Dans la cuisine nickel, la brigade autour de Roger Jaloux, MOF.

proche. Il a prouvé que la haute restauration était une affaire de brigade, d'équipe soudée, de « dream-team » plus qu'un travail en solo. Même Pierre Gagnaire, le virtuose d'exception s'appuie sur un ou deux épigones en toque, ses doubles, ses alter ego. Le génie créateur d'un seul maestro qui, seul réussit la sauce, voilà une notion et un concept usés par le temps.

D'autant que l'éventail des mets, chez le grand Paul témoigne d'un style de travail à l'ancienne qui met en œuvre des produits parfaits - la poularde en tête - dont la préparation ne souffre aucune variante. L'improvisation du matin à la Maximin, l'inspiration subite à l'heure du coup de feu, le bouquet d'épices ajouté vite fait, tout

cela n'existe pas à Collonges au Mont-d'Or. C'est tant mieux.

Si tout grand restaurant étoilé affichait une allure spécifique et la cuisine des accents personnels - voyez Passard, Senderens, Ducasse à Monaco - l'auberge de Collonges reste cantonnée dans un registre issu de la tradition gourmande lyonnaise. Comment pourrait-il en être autrement ? Paul reste le successeur de Fernand Point, marqué par ce legs imprescriptible, transmis à la brigade de Collonges. Il y a là des nourritures et des techniques en sursis. Qui sait préparer les filets de sole aux nouilles, le plus beau plat de la cuisine française selon Henri Gault en 1988 ? Les filets cuits à part, raidis al dente, montés au beurre et dorés à souhait, reposant sur le lit de tagliatelles de Cecco parfumées au Noilly Prat - une simple merveille.

Et le loup en croûte sauce Choron, une admirable composition en trio, complexe à réussir car la pâte peut ramollir le poisson. Et la sauce mar

Noisettes d'agneau Paul Bocuse.

chand de vin ? Et la sauce fleurette ? La béarnaise du sandre ? Sans évoquer la soupe VGE aux truffes, une royale mise en bouche ? Ces plats immémoriaux constituent une sorte de muséographie de la cuisine noble, et l'auberge de Paulo, un conservatoire vivant pour les gourmets d'hier et d'aujourd'hui - et pour les professionnels de la table, nombreux à visiter la mythique auberge bigarrée.

Bocuse, l'évangéliste des papilles. Il est facile de placer des banderilles sur la carcasse du grand Paul. Il est facile de brocarder ce florilège gourmand, qui se perpétue plus qu'on ne le croit : Ducasse a installé des broches dans tous ses restaurants - pas seulement pour les volailles, pour le turbot aussi. Personne ne fait plus la cuisine comme Paul Bocuse et Roger Jaloux. Personne

n'offre plus des nourritures dénuées de tout falbalas aussi ingénues à dévorer sans mollir - avec l'escorte de grands Bourgognes, de Beaujolais fringants du copain Dubœuf. Le bien-manger dans ces salles rustiques aux murs remplis de chromos, de tableaux kitsch, de portraits de l'empereur lyonnais vous réconcilie avec une certaine idée de la chère bienfaisante. À l'heure de l'invasion des sushis et des plats fusionnels - la poularde aux écrevisses en était un singulier - à l'heure des voyages intercontinentaux par l'assiette et les baguettes, on a le sentiment ici de retrouver des vérités oubliées et faire du bien au corps et à l'esprit. Merci cher Paulo.

Filets de sole aux nouilles Fernand Point

Poularde rôtie à la crème

Fromages de la mère Richard

Crème brûlée Sirio, gâteau Bernachon

Saint-Veran 95 Dubœuf
Château Ducru Beaucaillou 88
Moulin à Vent 90

Dîner du Millénaire dans les brasseries de Lyon

FRANCE

Pour Martine et Claude Jolly-Leb

« Je n'épluche plus les carottes, mais je continue à faire la cuisine. Si l'on m'en privait, je serais malheureux, que voulez-vous, j'aime ça. » La soixantaine pimpante, Michel Guérard l'ex-gnauleux (pâtissier) du Crillon, l'un des rares élèves du sorcier Jean Delaveyne au Camélia de Bougival pourrait se reposer sur ses lauriers et jouer les pachas en toque dans les salons des Prés d'Eugénie. Eh bien, non. À la tête de 120 employés, lui et sa femme Christine, la fée de ces lieux bénis des Landes, sont sur la brèche comme si la créativité et l'invention permanentes étaient leur mode de vie, leur carburant secret.

Qu'on en juge. À l'origine de l'aventure du couple en 1973, il y a l'hôtel restaurant d'Eugénie-les-Bains et les thermes irrigués par des sources ancestrales. Rien à dire, une faible notoriété. Qui va là ? On soigne tout à Eugénie, bien au-delà de la simple remise en forme agrémentée de diététique et de repos dans une oasis de verdure.

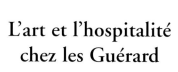

L'art et l'hospitalité chez les Guérard

Qui aurait pu imaginer que le couple Guérard réussirait à composer une sorte de paradis, un havre de bien-être et de paix comme il n'en existe pas en France, combinant autant de prestations, d'atouts et de douillettes demeures ? Sachez-le, ces Prés landais sont uniques - et l'on ne saurait les reproduire.

On dira que ce feu follet de Michel est probablement le cuisinier français le plus talentueux, celui qui regorge de dons multiples, le dessin, le chant, le verbe - un artiste caméléon qui a trouvé en Christine une femme de tête baignée par trois passions, celle des sources, des eaux et de la nature. Chez elle voisinent l'œil de la décoratrice, le sens des formes de l'architecte et le respect de l'environnement. De là est né, en vingt-cinq années, le *resort* d'Eugénie, ce complexe hôtelier à quatre branches : les Prés et son restaurant trois étoiles, la ferme aux grives et sa cuisine landaise, la maison rose et la minceur active et le couvent des herbes avec ses appartements campagnards-chics. Sans oublier la ferme thermale, vaste demeure de bois, réservée aux soins des heureux pensionnaires - la plupart viennent pour la « cure nature » et la perte de poids dans la gaieté et le plaisir, selon les mots de la maîtresse de maison.

Tout a commencé en 1973 par la cuisine minceur inventée par le génial Guérard au Pot-au-Feu, l'estaminet d'Asnières, ouvert avec vingt mille francs prêtés par un ami et par l'éblouissement d'Eugénie, où l'amour pour la brune Christine, avait conduit le jeune chef enrobé d'un embonpoint chagrinant pour un poète de la légèreté !

Arpète, commis, puis second dans des brigades de palace, Guérard, le premier, a stigmatisé les dérives de la cuisine des gros bonnets. Le premier, il a révélé les redoutables emphases des nourritures dites riches. Le premier, il a cherché à retrouver la vérité du bon produit, non

Meublée et décorée par Christine Guérard, la salle à manger du trois-étoiles.

camouflé, jamais masqué par le farinage, les gratins lourdauds et les sauçailles plaquées. Le premier, il a peu cuit le poisson et débarrassé les escargots à la bourguignonne du beurre aillé façon cholestérol.

L'entrée et la façade du relais-château landais.

Le premier, il a banni les fleurons de feuilletage, les croûtes inutiles et les graisses noirâtres. En 1975, il annonce qu'il faut « faire la cuisine comme l'oiseau chante », selon l'inspiration du moment, les cadeaux de la nature et l'improvisation justifiée. Souvenez-vous de la salade gourmande, véritable plat-fétiche de la nouvelle cuisine que l'on a tort de fustiger après la bataille car sans elle, nous n'aurions pas avancé dans notre façon de manger - et nous n'aurions pas chanté les louanges de la génération qui a suivi les Troisgros, Chapel, Senderens jusqu'à Joël Robuchon, Alain Ducasse, Bernard Loiseau, Georges Blanc, Michel Bras et leurs confrères en toque, fils de l'incontournable Guérard. Mesure-t-on le legs de l'inventeur de la blanquette de veau sans crème ?

Le hasard et le travail, selon la formule de Paul Morand, ont fait que les suites concrètes de la cuisine nouvelle, la mise en œuvre de principes fondateurs et des plats de référence sont nés aux Prés d'Eugénie dans les vastes cuisines labora-

Le Couvent des Herbes, *l'une des résidences des* Prés d'Eugénie-les-Bains.

toires où Guérard menait, avec son équipe, des recherches sapides pour Nestlé et Findus. Le premier, il a sauté le pas en direction de l'agro-alimentaire et a continué à peaufiner son inventaire de la cuisine du XXᵉ siècle pour le grand public. Le savarin de poissons, la délicieuse tarte aux abricots furent les premiers plats surgelés signés de lui. Visionnaire, il a ouvert la voie. Sans déroger.

Insolite paradoxe : c'est au pays du confit, de la garbure et du foie gras - en pleine terre de gueulardise - que le gaillard s'est posé et a forgé son destin d'alchimiste de la minceur. C'est dans ce pays de cocagne, porte-drapeau de la graisse d'oie qu'il a entrepris sa croisade contre les bourrelets, les ventres mous et les obèses. Quel destin ! Le talent frappe où il veut.

L'autre surprise, c'est que la chère façon trois étoiles des Prés, belle salle à manger coloniale, blanche à colonnes, encerclée par la nature amendée, reste un modèle de volupté gourman-

La Ferme aux grives, *cuisine landaise.*

de imprégnée des méthodes minceur. Personne n'a percé les secrets de « l'allégé goûteux » comme ce sexagénaire malicieux, jouer d'alliances savantes (la bonite crue) et maître du feu : Guérard est l'un des rares chefs à pratiquer la cuisson dans l'âtre du pigeonneau et du homard, par exemple, et à rôtir en cocotte le foie gras de canard au verjus afin d'extraire la graisse - il est servi froid dans sa gelée et moelleux.

Rustique noble, Guérard ? Pourquoi pas ? Les mousserons et morilles aux asperges sont moulés dans un oreiller moelleux qui rappelle le même cher à Brillat-Savarin tandis que les travers de sole épaisse sont cuits sur les sarments, la poitrine de poulette grillée sur la braise au lard et, qu'avec le caneton, le maestro confectionne une tourte rustique escortée d'une petite caille au foie gras. À peine vingt plats de haute succulence ce répartis en trois menus intitulés : « L'école buissonnière », « Les jardins de la mer », et « Jour de fête au pays » pour le festin à quatre plats sans l'éventail de desserts - goûtez la simplissime tarte aux fraises, inégalable.

« Vous êtes au pays des épicuriens landais qui ont un bon sens inné et un vigoureux appétit de joie, de saveurs, de couleurs - et que la grâce de vivre, dans un pays qui offre à foison les plus beaux produits de bouche, procure un rare bonheur que l'on aura garde de mériter et protéger. »

Voilà ce qu'on lit sur la carte-menu dont l'aspect bucolique n'a pas changé depuis le début, les plats oui : quelle mouvance, quel feu créatif !

Le message des Guérard, le queux et la maîtresse de maison, est transmis - aussi - par le verbe, par une certaine qualité des textes imprimés que le public a en mains, dès son arrivée. C'est une mise en condition inédite, jamais lue dans aucun autre relais-château, ou trois étoiles français.

Voulez-vous savoir cueillir la vie dans son habit rural ? Pratiquer un nouveau rituel de santé et, par l'emplette des herbes à vertus offertes par les dames du lieu près d'objets complices de votre bien-être, vous sentir dans une sorte de murmure d'éternité ? Prenez votre bain lustral au lait accompagné d'illutations en onctions douces tout au long de séquences végétales, et vous scellerez vos retrouvailles avec le passé. N'oubliez pas les bains d'apesanteur offerts à la ferme thermale selon l'ordonnancement de vos soins - et vous connaîtrez tous les effets de l'hospitalité façon Guérard.

À Eugénie, île verte préservée des bruits et aléas du monde, la cuisine des équipes Guérard va bien au-delà de l'acte de se régaler les papilles. Tout est calme, douceur et bouquets de sourires dans cette version nouvelle de l'abbaye de Thélème recréée par un couple qui sait faire partager son amour pour ce village, lieu de vie à nul autre semblable.

Bouquet de jardin à la gelée d'écrevisse, vichysoise à la truffe.

Foie gras de canard au verjus
Minestrone de langoustines
Travers de sole rôtis sur sarments
Tarte aux fraises

Château de Bachen 96
Domaine Lapeyre Béarn rouge 96

Dîner du Millénaire

Pour Alexandre Faix

FRANCE

En janvier 1999, Pierre Troisgros, trente ans de présence au Michelin avec trois étoiles - comme Paul Bocuse - a rendu sa toque et son tablier blancs. Il les a remisés aux vestiaires, laissant la conduite du très fameux restaurant de Roanne, en face de la gare peinte en rose, à son fils Michel, quadragénaire rieur, barbu, et plein de jus créateur. Ce n'est pas une démission l'âge venu, c'est la succession naturelle des générations quand le rejeton a été conçu, élevé, formé dans les environs immédiats (les cuisines) d'un restaurant pilote, leader des goûts et des saveurs culinaires de la France contemporaine. Le rond Pierre, le juge de paix de la haute restauration hexagonale ainsi que l'a surnommé Alain Senderens, s'efface à soixante-dix ans bien sonnés, transmettant le relais à Michel son disciple le plus proche avec son épouse la brune Marie-Pierre, chargée de la gestion, de la décoration, des aménagements de l'hôtel et de l'épicerie-restaurant voisin, le Central.

Un très lourd fardeau. Un cadeau que l'on dirait empoisonné si l'on demande au talentueux Michel de faire aussi bien que son père et son oncle le regretté Jean, un génial cuiseur. La cuisine dite nouvelle, révolutionnaire à ses débuts vers 1970-1980, est née à Roanne autant que chez Michel Guérard, chez Roger Vergé à Mougins ou chez Jean Delaveyne à Bougival. C'est de la pratique culinaire des deux frères - l'allégement des sauces, les cuissons courtes, les produits sélectionnés - qu'a surgi le nouvel état d'esprit des chefs français : la cuisine française doit se renouveler,

Troisgros

L'héritage de Michel le fiston

évoluer et abandonner le legs Escoffier revu par les leçons figées des écoles hôtelières. Et ce fût fait. Grâces leur soient rendues.

Managés par leur père Jean-Baptiste, les frères Troisgros que le bon peuple des gourmets assimile à des aubergistes à l'ancienne - gros bonnets au ventre mou et aux assiettes gargantuesques - étaient des Saint-Just de la poêle, des gilets rouges de la modernité qui n'ont eu de cesse de mettre en doute les principes, les recettes, les trucs de la restauration de l'avant et l'après-guerre de 1940 - celle qui vous conduisait au cimetière par le biais de la fourchette. Seul Fernand Point et le père Pic ont échappé à leurs sarcasmes.

Comme leur ami Guérard, pape reconnu de la cuisson nouvelle, les deux frères ont contesté, critiqué, vilipendé le cortège de ritournelles du genre tournedos Rossini, homard à l'américaine, sole soufflée et autres crêpes fourrées à la béchamel qui ont été la parure des monuments de la restauration française du temps de Colette, de Malraux et d'Édouard Henriot, de singuliers fourchetteurs. Exemple d'évidence : la bonne chère bien lourde de Maxim's sous le pontificat d'Alex Humbert qu'a bien connu Pierre Troisgros. C'est au 3 rue Royale que la saumon, pas encore à l'oseille, a été escalopé et non plus coupé en darnes. Plus tard, le cru surgissant grâce aux frères Minchelli (le Duc), ce sera le pavé moelleux, sous-cuit - et Pierre Troisgros l'adoptera pour un nouveau millésime du saumon à l'oseille, plat emblématique du restaurant roannais.

Millésimer des plats comme des crus c'est là une innovation du papa, secondé par son fils. Qui aurait osé ? L'audace, sœur de la liberté, a été le point fort, l'atout majeur de la gestuelle Troisgros. Qu'on en juge par ce retour en arrière. Voici quelques trouvailles parties de Roanne :

- les grandes assiettes, invitations à la gourmandise et la délicatesse des présentations,
- l'absence de fonds de sauce, de farine, de roux. Et de flambage en salle,
- le plat est achevé par le cuisinier responsable, le travail en salle réduit,
- la précision du goût, le dosage du gingembre, de la coriandre, des épices,
- l'acidité revendiquée, le mordant : les câpres, escortes de la viande rouge,
- la pratique du sous-vide à l'ingénieur Pralus : foie gras, canard en sauce,

- le tour de salle du chef à la fin du repas, un moment de convivialité,
- le style travaillé, personnel de chaque plat : la créativité exigée.

Tout cela à quoi se résument l'état d'esprit, la disponibilité, le goût d'entreprendre du chef moderne reste un corpus de réalités vivantes en l'an 2000. À l'heure où les cuisines d'ailleurs - d'Asie, du Pacifique, des Caraïbes - s'intègrent à la tradition française, le legs des Troisgros apparaît comme une étape majeure de l'histoire de la table en Europe.

« Nous avons vécu l'époque glorieuse des pionniers, avoue Pierre Troisgros assis dans l'immense laboratoire de saveurs roannais, et je m'en félicite. En trois décennies, nous avons fait accomplir à la pratique culinaire plus de progrès qu'en

Marie-Pierre et son mari Michel dans l'épicerie-restaurant le Central

FRANCE

Un épicurien havanophile et joyeux.

deux siècles. Chez nous, les mangeurs se sont mieux nourris, sans abus de gras, et ils en ont éprouvé plus de plaisirs. Nous avons tenté de préserver leur santé, car notre principe de base a été de conjuguer le goût vrai et la légèreté. Sortir de table frais et dispos comme si on n'avait pas mangé, cela demeure un fantastique défi. »

Au piano en inox, devant un éventail de bons de commandes livrés par les maîtres d'hôtel, le chef Michel ainsi que le personnel en toque l'appelle selon les canons de la famille, dirige le service du dîner. De sa voix claire, il annonce les plats de concert avec son bras droit Thierry Bonfante, un ancien du Bristol, second de Michel del Burgo. Les menus « tradition », et « découvertes » sont demandés par 75 % de la clientèle. Dans le premier, figurent la célébrissime escalope de saumon à l'oseille et le filet de bœuf au Fleurie, à la moelle et le gratin forézien, le chèvre à la tomate moutardée, et le grand dessert - un festin de nostalgie vivante. Le gourmet qui connaît les Troisgros, depuis belle lurette, se remémore ses souvenirs, des joies de bouche, des visages, des vins, des amours…

Signée de Michel Troisgros, la carte des mets 2000 est scindée en dix secteurs : les entrées, les poissons, les crustacés et coquillages, les volailles, l'agneau, le bœuf, le veau et ses abats, le gibier, les fromages, les desserts. Cette disposition, instituée par le père et le fils au début des années 90, a été reprise, plagiée, copiée par quelques grands chefs restaurateurs - on n'imite que les meilleurs…

Une admirable carte des vins dont les bourgognes sont l'orgueil.

De la nage d'écrevisses aux poireaux et poires-légumes et fruits en duo - Michel Troisgros se demande si ce plat va faire un tabac semblable au saumon à l'oseille. Seraient-ce les admirables lasagnes de truffes à l'huile d'olive ou le curry de homard à l'effilochée d'endives ou le carré d'agneau à la Gremolata, pommes Paulo ? Terrible, le challenge relevé par le fils…

Tarte au chocolat à la feuille d'or

Courageux, opiniâtre, voyageur comme ses confrères Rollinger, Gagnaire et Veyrat, Michel Troisgros conduit le paquebot avec le même goût du risque que son père, à une différence près : le monument de Roanne bénéficie d'une réputation mondiale. Les gueulards et « foodistes « de tous pays rêvent d'un week-end gourmand en face de la gare, et nombreux sont les visiteurs, les papilles en alerte, qui économisent euro après euro pour s'en fourrer jusque-là - ne négligez jamais l'extraordinaire choix des vins de Bourgogne à des prix cadeaux. En un mot, Troisgros joue devant un public assuré. La maison fait partie du patrimoine régional et national.

« J'attendais ma chance depuis quarante ans, confesse le bon Michel assis dans le bar à côté de

sa moitié d'orange la pulpeuse Marie-Pierre. J'ai envie qu'on me prenne au sérieux. J'ai besoin de reconnaissance et de rendre à mon père un peu de ce qu'il m'a donné. Après tout, la vraie cuisine, c'est de l'offrande ».

L'avenir dira si le trapu Michel, ouvert à toutes les interprétations sucrées, salées, acides et amères, parvient à maintenir le haut niveau de l'institution roannaise. L'opus reste incertain, comme le disait la carte des mets à propos de feuilleté aux deux sucres.

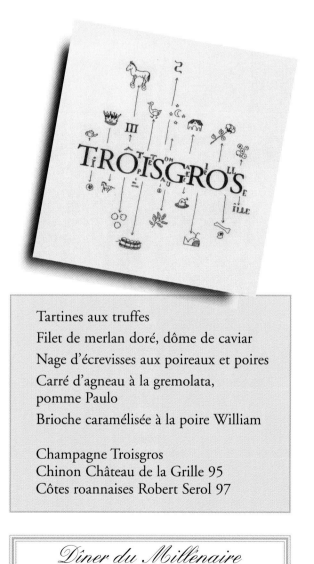

Tartines aux truffes

Filet de merlan doré, dôme de caviar

Nage d'écrevisses aux poireaux et poires

Carré d'agneau à la gremolata, pomme Paulo

Brioche caramélisée à la poire William

Champagne Troisgros
Chinon Château de la Grille 95
Côtes roannaises Robert Serol 97

Dîner du Millénaire

ALLEMAGNE

À la mémoire de Jean Carmet

Ce sont les évangélistes du savoir-manger, les pèlerins de la haute cuisine, du goût et des bonnes manières de table. Chefs missionnaires, labourant hors des frontières les terres inconnues de la chère noble, ils ont pris racine en Grande-Bretagne : Michel et Albert Roux, au Gavroche et au Waterside Inn, Michel Bourdin, chef du Connaught de Londres et, en Allemagne, Jean-Claude Bourgueil, enfant de Sainte-Maure en Touraine émigré depuis 1972 à Düsseldorf où, sur son « Petit-Bateau » - IM Schiffchen - il a réussi à glaner quatre étoiles : une pour le restaurant rustique du rez-de-chaussée et trois pour la grande table aux boiseries blondes à l'étage - ouverte seulement le soir dès 19 heures, sauf le dimanche.

Les gourmets français devraient rendre hommage à ces maîtres queux qui ont choisi l'exil, une singulière épreuve quand on aborde les belles années de la vie. Le râblé Michel Bourdin, dépêché par Louis Vaudable de chez Maxim's au palace londonien The Connaught en 1970 aurait pu jouer les gros bonnets au 3, rue Royale sans avoir à marner sur les pianos de la Great Albion. Tout comme les frères Roux, véritables pères fondateurs de la grande restauration en Angleterre, où la plupart des citoyens de Sa Majesté étaient incapables de déceler le bon poisson du mauvais, *idem* pour la viande… On connaît le mot caractérisant la pitance, *fish and chips,* à l'anglaise : « Si c'est tiède, c'est de la bière, si c'est froid, de la soupe »… Le néant, quoi ! En débarquant comme timide gâte-sauce au

Hilton de Düsseldorf à l'âge de 25 ans, le jeune arpète venu de la Touraine de Rabelais et de Balzac est saisi de vertige : le homard d'origine approximative est cuit la veille, mis au frigo puis extrait le lendemain, parfumé au cumin posé sur une salade de la mer bien cartonnée… Impossible de dénicher des matières premières décentes, les douaniers ignares détruisent les lobes de foie gras et font rancir les langoustines dans des bureaux surchauffés… Placide, de nature effacée, Jean-Claude Bourgueil se souvient des années noires, de la clientèle obtuse, lâchant à regret ses marks. Et des clients invités, surgissant une heure après le premier plat…

Im Schiffchen

Jean-Claude Bourgueil, le messager de la France gourmande

L'Allemagne des fins becs doit une fière chandelle à ce tourangeau, volontaire, acharné au travail, jamais absent de son restaurant. Savent-ils les déboires endurés par le doux Jean-Claude - son prénom est inscrit sur le menu cadeau au liseré tricolore - dans cette très ancienne maison de bouche des faubourgs historiques de Düsseldorf, à deux pas du Rhin majestueux ? Deux fois, le « Petit-Bateau » a été réduit en fumée par des incendies criminels - comme celui qui signa, à Colmar, l'arrêt de mort du regretté Jean Schillinger - et la traque des huissiers et des banquiers retors a bien failli faire capiter Jean-Claude et sa tendre Jeanine… Réflexes anti-français mâtinés de jalousies venimeuses ?

Il reste que Jean-Claude Bourgueil fut avec l'Autrichien Eckart Witzigmann à Munich, le

Le restaurant chic du premier étage et les menus surprises du chef.

premier trois étoiles non allemand à défendre la haute cuisine issue d'Escoffier, de Point et d'Alain Chapel, le chef-patron qu'il considère comme son maître à penser, à cuire et à assaisonner. Sans avoir reçu l'enseignement du Lyonnais dans son fief de Mionnay, le rusé Bourgueil, en six à huit repas, a saisi le pur message chapelien - la rigueur dans l'assiette et l'exigence de produits incontestables. Et le Tourangeau a déployé des trésors de ruse et d'énergie pour pouvoir travailler le turbot breton, la volaille de Bresse, le foie gras des Landes, et la truffe du Périgord.

Ah ! les truffes et le caviar : peu de chefs-patrons en donnent autant que l'émigré de Düsseldorf.

En prélude, un feuilleté au caviar osciètre, puis une tartine de foie gras et lamelles de truffes - pour tous les convives. Et trois petits pains sur l'exquis croque-monsieur tiède au foie gras, le maître d'hôtel en gants blancs râpe quelques rondelles de diamant noir. Éblouissement des mangeurs d'outre-Rhin qui vont aller de bonheur de bouche en voluptés caressantes quand ils aborderont la faisselle de Sainte-Maure aux pommes de Noirmoutier et caviar, une sublime assiette à la Robuchon ; quand on joue des œufs d'esturgeon, on est sûr de régaler son monde. Encore faut-il être généreux…

Et Bourgueil, l'exilé aux nostalgies secrètes est un cuisinier qui a le cœur sur la main. C'est un

97

ALLEMAGNE

Jeanine Bourgueil, maîtresse de maison.

donneur de plaisirs forts, et sa femme, souriante hôtesse s'enquiert à chaque table du bonheur des hôtes. On sent que la maison est animée des bonnes vibrations de la gourmandise raisonnée, et que les visiteurs seront comblés. D'ailleurs, ils ne quittent jamais le Petit-Bateau avant une heure du matin… Cinq à six heures à table : qui dit mieux à Paris ?

Oui, des professionnels comme l'enfant de Sainte-Maure - cinq frères et sœurs - méritent d'être salués et honorés. Voyez le souci sur la carte des mets, de mentionner l'origine de la plupart des produits : les asperges du Pertuis en charlotte à la rémoulade de truffes, le velouté de Roseval, la volaille de Bresse, tout cela s'inscrit dans l'éducation des papilles des mangeurs. Il ne faut pas s'étonner que l'Allemagne de la bour-

geoisie nantie soit devenue une terre de fins becs connaisseurs et exigents - et près de leurs sous. L'Allemand a une sainte horreur de payer trop cher un plat ou un vin, d'où les deux menus d'IM Schiffchen, posés sur l'assiette de tous les convives. Dernier né, le menu dit de « la rue des épices » qui ressort de la cuisine d'ailleurs - du voyage, dirait Paul Morand. Solitaire à son piano, membre de Tradition et Qualité, ce qui lui permet de rencontrer Michel Guérard, Jean-Claude Vrinat et les Haeberlin, Bourgueil est de la race des chefs qui font bouger leur cuisine. Non à l'ankylose ! La pression des Allemands,

Comme ses patrons, la sommelière est française.

nouveaux enfants gâtés de la restauration de luxe s'exerce dans ce sens : de la nouveauté, des créations, des assiettes jamais vues ! D'où la valse des spécialités d'Im Schiffchen comme le homard à la vapeur de camomille sans cesse réclamé, et la dépêche au chocolat, cette curieuse enveloppe de pâte fine fourrée de mousse au cacao et fermée par un bonbon de chocolat blanc. Ah ! Bourgueil, le facétieux comme Pierre Troisgros.

Et le retour au pays ? Brûlante interrogation pour ce couple et leurs deux enfants germanisés par la vie du père en toque : comment recommencer en France ? Repartir à zéro alors que l'on est apprécié et fêté en Allemagne ? Le dilemme taraude les Bourgueil qui, pour l'heure, retournent en Touraine pour les vacances légales. Douce France qu'ils offrent au Petit-Bateau, offrandes salées, sucrées et inoubliables.

Amuse-bouche au caviar

Amuse-bouche au caviar

Croque-monsieur au foie gras et lamelles de truffes

Velouté d'esturgeon et son parfait

Saint-Pierre au citron d'Amalfi

Poire Belle Hélène façon Bourgueil

Champagne Gaston Chiquet brut
Chinon Varennes 89 Charles Jognet
Madiran Montus 90 A. Brumond

Dîner du Millénaire

Pour Alain Angenost

Imaginez une grosse bâtisse à clochetons et dépendances posée au cœur d'un parc vallonné des environs de Cologne dans le nord de la Westphalie et là, dans une aile du relais-château, un restaurant à mezzanine surmonté d'une verrière chauffée par le soleil : l'un des plus grands cuisiniers allemands, Dieter Müller, un beau gaillard tout sourire, régale les gourmets d'une cuisine moderne, inventive, pleine de surprises à la Pierre Gagnaire ; c'est l'anti Ducasse.

D'une carte riche de vingt plats clairement libellés, vous découvrez, éberlué, le pot-au-feu de scampi et homard au curry vert et citronnelle garni de pâtes à la noix de coco, ou les incroyables tripes au champagne escortées de piccata de ris de veau sur un lit de poireaux, ou encore les crépinettes de pigeon au sang accompagnées de tranches de boudin, asperges vertes et sauce aux truffes - un incroyable festival de compositions aussi savantes que ludiques. Et qui ont tellement emballé Bernard Naegellen, le patron alsacien du Michelin, qu'il a donné, en 1997, les trois étoiles à ce créateur d'assiettes improbables. Comme quoi le pays de Goethe entend se tenir à la pointe de l'avant-garde culinaire, et le public connaisseur suit : la table modernissime de Dieter Müller affiche complet - l'hôtel aussi - plusieurs semaines à l'avance.

Le Schlosshotel de Lerbach est devenu un lieu de pèlerinage gastronomique et culturel, un peu comme les Crayères à Reims. L'endroit mystérieux comme certains châteaux de Germanie plonge ses racines, à la fin du XIVe siècle, quand les Von Desbrugge font cadeau de la maison Lerbach au chevalier Von Hoenen. Au siècle suivant, la demeure sera transformée et agrandie en château Renaissance. Puis ce sera une *english country house* et les Von Siemens l'occuperont au début du siècle avant qu'elle ne se transforme en maison de retraite puis, pendant les heures noires du conflit de 1940 à 1945, en sanatorium pour les officiers de l'armée belge.

Aujourd'hui, après avoir servi de cadre à une série télévisée allemande en 1989, l'ancien château Renaissance a été aménagé en hôtel de charme - intégré à la chaîne des relais-châteaux en 1992 - par le savoir-faire de Thomas Althof, un professionnel de l'hôtellerie cinq étoiles - à son actif, le Vista Palace à Monaco, la villa Belrose à Saint-Tropez-Gassin, le Kitano à New York, le Sonesta Beach à Key Biscayne et cinq autres unités en Allemagne.

Le Schlosshotel

Dieter Müller : l'équilibre dans les contrastes

Venu de Forêt Noire, son creuset natal, Dieter Müller a été recruté par Thomas Althof, un très fin bec, qui lui a offert un partenariat à l'intérieur du Schlosshotel, un espace gourmand décoré à sa manière - lignes pures, clarté, espace - pour soixante couverts par repas. Pas plus. En sept années, le dandy Dieter, épaulé par sa blonde épouse élancée comme Élyane Boyer, a atteint le sommet de Bibendum. Une sorte d'exploit car la

La façade du Schlosshotel, une ancienne demeure aristocratique dans un parc.

cuisine concoctée par l'Allemand est à l'opposé des principes et saveurs classiques : en dehors du suprême de poularde de Bresse braisé aux truffes et herbes de Provence, toute la cuisine de Müller est personnalisée, sentie, ordonnée à la façon de celle de Pierre Gagnaire - à nulle autre pareille. Elle vous laisse médusé : au pays de la saucisse aux choux.

Tous les plats de cet Allemand - un as de la queue de veau - admirateur de Bocuse, Robuchon, Ducasse, sont des symphonies esthéticos-culinaires inspirées par la world cuisine. Voici l'Asie revisitée par le biais des épices et des arômes. Voici le vinaigre balsamique qui parfume les pieds de cochon farcis et le foie d'oie poêlé sur un lit de lentilles, voici du coucou proposé avec des noix de Saint-Jacques, des oignons blancs aigre-doux, des asperges vertes

au Banyuls, et l'on ne dira rien des tranches de boudin posées à côté d'une crépinette de pigeon au sang, d'asperges vertes, le tout baigné d'une sauce aux truffes…

Oui, le gourmet doit déchiffrer l'ensemble des mets Müller comme chez Ferran Adriá à l'El Bulli de Rozas (Espagne) ou comme chez Marc Veyrat à l'Auberge de l'Éridan près d'Annecy. Vous plongez dans une autre planète gustative où les tripes au champagne font un duo avec des piccata de ris de veau sur un lit de poireaux.

Comment qualifier le personnage ? Un révolutionnaire des fourneaux, un aventurier des textures, un poète iconoclaste : le poulpe carpaccio, le curry et la citronnelle dans le pot-au-feu de crustacés, … ce qui n'empêche pas le maître-queux de mitonner un savarin de homard, un

ALLEMAGNE

Posé dans le jardin, le restaurant Dieter Müller aux lignes sobres.

Le bar de l'hôtel relais et châteaux.

soufflé de brochet, une sauce au basilic ou une autre, très périgourdine, à l'ancienne (60 kg de foie gras par mois).

Étrange Dieter qui ne renie pas le fonds commun du savoir culinaire mais qui veut s'en détacher afin d'offrir une partition signée, estampillée. Encore un cuisinier voyageur, marqué par de fructueux séjours à Tokyo, à Hawaï, à Bangkok, qui recherche l'originalité par des mariages et des assemblages à risques : le foie d'oie et la coriandre. Le désordre alimentaire guette ce type de chercheurs de goûts tout comme le gourmet peut ne pas adhérer à ces arabesques venues d'ailleurs. Il faut être bien disposé, avoir l'humeur et l'appétit curieux, provoquer l'étonnement des sens. Si l'on a envie d'un vrai pot-au-feu en trois services à la Dodin Bouffant, non à celui de Dieter Müller pimenté de citronnelle !

Tout est question d'équilibre et d'harmonies. C'est bien cela la difficulté de la cuisine mondialiste, Dieter Müller est le premier à le reconnaître. N'allez pas croire qu'il en soit au stade de l'expérimentation, des tâtonnements, de la gestuelle hésitante : le queux est plus que suivi par son public, il est fêté, adulé, admiré par l'élite des mangeurs d'outre-Rhin. Réservez longtemps à l'avance !

Une cuisine de recherches et de créations.

Tranches de filet de bœuf mariné, fleuron de tête de moine et vinaigrette aux truffes.

Savarin de homard sur un carpaccio de poulpe, dés d'artichauts et seiches frits

Gratin d'écrevisses et soufflé de brochet accompagné de mange-tout et de pâtes noires

Brochette au romarin, râble de lapereau aux ravioli de truffes

Charlotte au citron vert, sorbet au champagne

Brut Fleur de champagne
Pinot noir de Sommelise
Banyuls Solera

Dîner du Millénaire

Pour Émile Jung

De Strasbourg et sa petite France, vous passez la défunte frontière - tant de morts pour en arriver à la liberté de circuler - et vous mettez le cap vers le cœur de la Forêt-Noire et le Wurtemberg, une sorte de vallée heureuse nichée entre une trouée de collines douces qui ont donné naissance à un microclimat fort inattendu. La nature est préservée, le béton banni comme sur les hauteurs de Portofino (Italie) où il est interdit de construire si l'on n'est pas déjà résident. Défilent des chalets modestes et des auberges rustiques farcies de poêles, de coucous et de boiseries bien cirées - la forêt humanisée.

Au bout d'une heure de route, vous pénétrez dans les méandres vallonnés d'une île verte ; vous voici dans le paradis hôtelier que la famille Finkbeiner a édifié en deux siècles - à l'origine en 1789, une grange de bois où l'ancêtre boulange le pain. C'est la mère de Hans Finkbeiner qui eut la bonne idée d'initier son rejeton à l'art de cuire et d'assaisonner. De là est né l'imposant ensemble architectural du Traube Tombach, deux bâtisses noyées sous les fleurs à flanc de coteau, un grand hôtel de deux cents chambres et suites flanqué d'un trio de restaurants dont le Schwarzwaldstube, un trois étoiles cossu, très cossu, la meilleure table d'Allemagne pour de très doctes palais. En tout cinquante-trois cuisiniers à l'hôtel !

Médusé, sidéré, bluffé, vous le serez par la magnificence des lieux, par l'espace, le confort, par la profusion de loisirs et d'animation, le ski

en hiver, les trois piscines dont l'une d'eau de mer, les deux autres sans chlore, les ballades en calèche, les concerts nocturnes, les dégustations de vins, et je ne dis rien du hammam, sauna et autres sports en chambre qui attendent la clientèle fortunée prête à abandonner des flopées de marks nécessaires à cette cure de bonheur - et de *carpe diem*. Croisement du club Med « Gold » et des Prés et de Sources d'Eugénie-les-Bains, il s'agit d'occuper les hôtes de cette thébaïde perdue dans les pins, de les distraire, de les promener, de les marier aussi puisqu'une chapelle - et un curé - attendent les fian-cés, Walkyries ou pas.

Le miracle allemand, côté loisirs et plaisirs en bouquet, le voici en pleine lumière, et il suscite de singuliers coups de chapeau. Car ici, dans ce complexe de deux cent quatre-vingts employés, la seule norme c'est l'approche raisonnée de la perfection. Oui, le citizen Blanc, le super manager de Vonnas (Ain) est dépassé par la vision, la mise en œuvre du tourisme moderne développée en quelques années par Hans Finkbeiner, un patron souriant qui salue tous ses visiteurs - taux de fréquentation 95 % par an. Un record en Europe.

Estomaqué, vous le serez par l'hommage à la France de la bonne chère. Tous les plats sont libellés en allemand et en français, et l'influence des maîtres queux de l'hexagone ne peut que frapper le visiteur. « C'est la base pour nous, la norme culinaire reste française enrichie d'autres influences italiennes ou asiatiques », dit Hans

Schwarzwaldstube

La bonne vie en Forêt-Noire

Environnement et décors chargés, le luxe à l'allemande.

Finkbeiner, le patron à la fine moustache, lequel tient à souligner que les plats et la carte, longue et très détaillée sont du domaine réservé au chef Harald Wohlfart, ancien second du magicien Eckart Witzigman, retiré de la grande restauration - il fut à l'Aubergine de Munich le meilleur queux allemand. Notez, le bon Harald apprend la langue de Molière.

Les deux hommes, unis comme des frères reviennent d'un périple dans le Sud-Ouest jusqu'à San Sébastian chez le génial Basque Arzac. Ils ont visité le fief de Michel Guérard à Eugénie-les-Bains, ce beau complexe thermal qui peut donner à ces entrepreneurs façon baron Sellière des idées - la cure de remise en forme est le sésame de l'hôtellerie moderne. Quand on n'a pas la chance - ou le désagrément- de « faire son chiffre » avec les séminaires, ban-

quets et autres conférences multi-langues…

Saint-Jean-Pied-de-Port, Magesc, Urt, les étapes de gueule ont emballé les gastronomades Finkbeiner et Wohlfart : ou comment se pénétrer des saveurs du foie gras des Landes, du saumon de l'Adour, des volailles, du jambon pattes noires quand on a planté son home en pleine Forêt-Noire. « C'est si loin de chez nous, clame Finkbeiner mais les produits de là-bas sont si exceptionnels. Ils nous font envie ! »

Peu gâtés par les cadeaux de la forêt, fût-elle pleine de fées, ils rêvent de légumes, d'herbes, de crustacés, de viandes de Bazas qu'ils recherchent partout en Europe - à l'exception du veau, du lapereau forestier et des gibiers de l'Est. Par chance, Émile Jung et Harald Wohlfart peuvent s'approvisionner chez un bon champignonniste

Les hotesses d'accueil en costume local.

et chez un maître fromager local, Bernard Anthony.

De singuliers patrons, ces gaillards. Le trois étoiles n'accueille que trente-cinq couverts, une dizaine de tables seulement, comme une salle à manger d'une villa d'amis (très riches). Dieu quel décor massif, le bois de cerisier partout et un mobilier qui marque l'espace. De la lourdeur. Mais le promontoire sur lequel vous êtes installé laisse découvrir la vallée verte, sauvegardée du sac généralisé en Europe. Le site bucolique en diable ne manque pas de beauté. Assis sur ces fauteuils de princes régnants, vous êtes entré dans un autre univers, celui de la sérénité, du repos, du bonheur muet. On comprend l'attirance des rupins allemands - et de l'est de la France - pour cet amphithéâtre de verdure. Une parenthèse de silence. N'en doutez pas, vous allez monter au septième ciel de la gourmandise intelligente. « Mieux que chez nous ? Ce serait un scandale de le proférer », écrit Gilles Pudlowski, enfant de Metz, et l'un des meilleurs connaisseurs de la haute gastronomie germanique, d'excellent rapport qualité-prix. L'offre est généreuse, pas moins de vingt-quatre plats sobrement décrits, sans compter les six desserts.

De la très haute cuisine, la nomenclature des préparations d'Harald Wolhfart le prouve à l'envi. Pas seulement à cause de l'utilisation de produits nobles - exclusivement - le foie gras dans quatre assiettes, le caviar dans trois, et le homard, ris de veau, turbot, écrevisses (pattes rouges), langoustines et l'entrecôte américaine (pas de frayeurs inutiles) mais le traitement mérite l'attention du gourmet.

Comme ses amis Jung et Westermann, Harald Wohlfart est devenu - Alsace oblige - un as du foie gras. Chaud, froid, en terrine avec apport du ris de veau mouillé d'une gelée de porto, comme le faisait Charles Barrier à Tours - il faut succomber. Rares sont les voluptés de bouche issues du foie gras de canard ou d'oie, un mets tombé de l'aristocratie dans le marigot des médiocrités. Le bon Wohlfart emprisonne le foie chaud dans des feuilles de sésame, assaisonne d'un jus de citron et agrémente d'une compote de pommes au gingembre : mal combinée, cette ouverture pourrait être de la cacophonie. Elle emballe les papilles. De même la quenelle de caviar qui surplombe l'exquise mousse d'esturgeon fumé, poisson du Rhin d'autrefois, un duo

Francophile, le chef Harald Wohlfart à gauche.

De la cuisine légère et colorée.

accordé. Notez la cuiller en nacre pour les perles d'or noir.

En fait, la cuisine de Wohlfart, élégante et travaillée ne sent pas la copie servile, même si certains plats ressortent d'un classicisme plus assis que novateur : le gratin d'écrevisses et de Saint-Jacques sur une tombée d'épinards, la salade de homard aux légumes grillés et vinaigrette à l'olive, le pigeon au foie gras et aux truffes, escorté d'une périlleuse glace aux truffes. Claire et nette est la parenté avec la caste des trois étoiles français (Troisgros, Ducasse, Haeberlin, entre autres).

Gourmet d'Europe, cher lecteur, vous ne serez pas perdu, vous ne serez pas dérouté dans ce nid d'aigles. Ajoutons que pour les francophiles, en regard des demoiselles en costume local, les cadres du restaurant Jean-Luc Poussin et le chef sommelier Gast, couronné par le Gault et Millau allemand, sont de remarquables cicérones, heureux de transmettre leur savoir et, en matière de vins de France (70 % des ventes), vous serez comblé. Toutes les AOC françaises sont représentées, les majeures de Bordeaux, Bourgogne, Champagne et Alsace des stars - et

des crus. Vous constaterez la clémence des prix des plus fameux flacons, l'abondance des demi-bouteilles et la liste quasi exhaustive des grandes cuvées champenoises (neuf mille bouteilles par an).

« Il n'y a jamais de bouteilles de sekt, le mousseux allemand, proposé au Schwarzwaldstube, confirme Heiner Finkbeiner. Aucune n'est ouverte avant le service ; seuls les champagnes le sont ».

Le sommelier Gast est chargé de la cave, pas moins de sept cents références et des dégustations matinales de vin sont destinées aux pensionnaires de l'hôtel Traube Tombach, quatre étoiles de luxe : « des curieux et des buveurs. »

Oui, une étape d'excellence dans un temple vrai du bien manger à la française. Le gourmet ne manquera pas d'essayer les deux autres enseignes de ce « conglomérat » voué à la bonne vie.

Purée d'esturgeon et caviar osciètre
Foie d'oie en feuilles de sésame
et compote de pommes
Turbot cuit à l'arête, poivre noir,
beurre d'échalotes
Millefeuille tiède aux fraises des bois,
glace au champagne

Riesling Auslese, Mosel, 95
Gewurztraminer Auslese Baden 94
Tinto Pesquera, Reserva, Espagne 90

Dîner du Millénaire

BELGIQUE

Un parcours de champion des casseroles. En 1999, le restaurant très design de la famille Bruneau à Bruxelles, dans le quartier résidentiel de la Basilique où le pape célébra la messe, a fêté ses dix années de trois étoiles Michelin. Une sorte de consécration pour Jean-Pierre Bruneau, un virtuose du piano à saveurs - quatre décennies en toque blanche, toute une vie vouée au culte de la cuisine d'art : on peut saluer.

Quel parcours ! Celui de l'enfant prodige des casseroles, de l'arpète devenu un maître, un alchimiste des textures et des parfums. En 1975, le 1er mars, à midi, ce fils d'officier de l'armée belge ouvre un restaurant dans une maison bourgeoise dont les travaux de transformation sont effectués par le chef lui-même, maçon, plâtrier et plombier par nécessité. Le matériel a été acheté d'occasion.

En salle, un seul employé, Yves Catulle, chargé des vins et Madame Bruneau, à l'accueil. Deux ans plus tard, c'est la première étoile au Michelin, et en 1979, le diplôme si convoité du club des 33, filiale belge du fameux Club des Cent. En 1982, seconde étoile grâce à laquelle les Bruneau peuvent redécorer le restaurant. En 1986, les appartements de la famille à l'étage deviennent des salles à manger avec terrasse, jardin et monte-plats.

En 1989, troisième étoile et réaménagement complet de la cuisine chaude dotée d'un matériel technique ultra-performant. Trois ans plus tard, c'est l'ascenseur panoramique et la climati-

sation tandis que Philippe, le fiston, rejoint son père en cuisine, puis en salle : c'est le messager très fidèle de la parole gourmande. En 1996, Jean-Pierre Bruneau succède à Pierre Romeyer au poste de président élu de l'association Euro-Toques, version belge.

Bruneau

Caviar, coucous et chicons

Quel chef possédé par son métier, rivé au passe-plats trois cents jours par an, pourrait ne pas envier semblable cursus ? Quel exemple pour les commis, seconds, chefs de partie : en une génération, Jean-Pierre Bruneau, un colosse de bonhomie a tout réussi, imposant son nom et son enseigne comme l'une des trois meilleures tables de Belgique, « une province au nord de la France », comme il le dit en souriant.

Il y a du Pierre Troisgros mâtiné d'Alain Senderens en lui, un maître-cuisinier solidement installé qui ne cesse de se renouveler, d'aller de l'avant, et d'inventer.

Dès son installation dans la très bourgeoise avenue Broustin, Bruneau joue les francs-tireurs. Comme il le dit lui-même, son style culinaire dérange l'ordre gastronomique établi. « La cuisine des années 70-80 n'avait guère évolué depuis le début du siècle, se souvient-il. La sole Dugléré, le turbot sauce mousseline, le steak au poivre régnaient partout, ainsi que les pommes allumettes ».

« C'était désolant, je venais de France et j'avais vu autre chose, une autre conception de la restauration au Chapeau Rouge à Feurs dans le Forez et à l'Auberge des Templiers aux Bézards chez Madame Dépée, deux des meilleures tables de l'hexagone. C'est ce bagage culinaire que j'ai mis en œuvre chez moi, dès le début. »

Parmi les innovations marquantes, les légumes de saison ignorés de la Belgique que Bruneau redécouvre, escortés des poissons du Nord et du coucou de Malines plumé à sec, cette volaille locale qu'il agrémente de chicons belges, les meilleures endives d'Europe. Puis viendra l'ère des grands plats Bruneau qui feront accourir les palais les plus expérimentés de Belgique, de France et d'ailleurs.

D'abord, en première assiette, le carpaccio de langoustines au caviar, le carpaccio de Saint-Jacques finement émincées sur un lit de foie gras cru à l'huile de truffes blanches - un nuage translucide d'une finesse arachnéenne - la salade de homard aux pommes vertes parfumée au curry, les ravioles de céleri aux truffes, le filet de bar de ligne « dos bleu » au caviar oscière, la canette des Dombes glacée au miel d'acacia, le rognon de veau en croûte de sel aux échalotes confites, toutes ces préparations d'allure classique ont constitué l'ossature de la carte et du style Bruneau - sûreté de l'exécution et garnitures simplissimes. Des mains d'or.

« Pourquoi me suis-je renouvelé ? Pourquoi changer l'éventail des mets, et en inscrire d'autres, plus risqués, me demandez-vous ? Parce que l'imagination et l'innovation sont les joies de ce métier, ce qui nous permet, d'avance, de ne pas figer la cuisine et de travailler d'autres produits. Et puis, c'est mon plaisir ! »

Ainsi sur la carte riche de trente et un plats - comme chez Taillevent - les créations sont signalées par une astérisque bleue. Ce qui frappe le mangeur, ce sont les truffes et le caviar en abondance. Chaque année, le Belge de Namur

Résolument moderne, la salle à manger du rez-de-chaussée.

Un maestro perfectionniste, le chef du roi des Belges, jamais absent de son restaurant.

Claire et Jean-Pierre Bruneau et le vizak.

passe trois cent cinquante kilos d'œufs d'esturgeon soit près d'un kilo par jour, et cent cinquante kilos de diamant noir, des chiffres record dans la haute restauration, reflets de la passion des Belges pour la très bonne chère. En cela, Bruneau montre qu'il croit dur comme fer à la fête des papilles, à cette quête de bonheur gustatif qui reste l'apanage des très grands cuisiniers : pour le festin de l'année, la tirelire cassée et les dix ans de mariage, voilà l'adresse de rêve.

Du luxe pour fortunés de la vie, dira-t-on. Peut-être, une lecture détaillée de la carte indique que le chef-patron propose un menu d'un prix très raisonnable et un autre « découverte », vins compris qui est une aubaine. On notera aussi qu'il s'efforce de mettre en valeur des joyaux de la terre et de la mer belges, comme le dos de cabillaud aux petites crevettes grises de Zeebrugge, et que la Walewska de macaroni s'enrichit des fruits de mer, de Saint-Jacques et coques - Bruneau est un artiste du poisson, goûtez le dos de turbot sarladaise et les lasagnes soufflées à la chair de langoustines, de simples merveilles.

On ne s'étonnera point que ce diable d'homme de nature modeste, - s'il faut donner une prime aux cuisiniers créateurs, Bruneau la mérite amplement comme Pierre Gagnaire - soit devenu le chef du roi Albert à l'étranger, et au palais bruxellois. C'est le Carême de la royauté belge à la grande satisfaction d'Albert et Paola, les témoignages écrits le prouvent. Le souverain veut régaler ses hôtes - c'est à table qu'on gouverne !

Le milliardaire belge Albert Frère, un sérieux gourmet qui s'est offert le Château Cheval Blanc (840 millions) en duo avec Bernard Arnault qui a déjà Dom Pérignon, Clicquot et Krug, convoque Bruneau plusieurs fois par semaine, chez lui, dans ses différentes résidences. Délivrés par le maestro Bruneau, les plaisirs de bouche réunissent les hommes et facilitent la signature de contrats. On le savait.

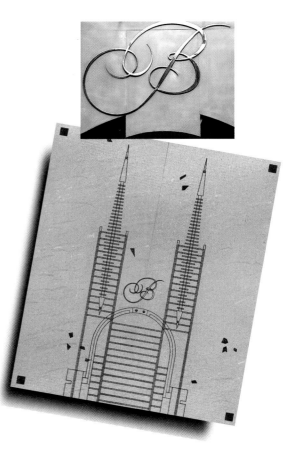

Rosace de homard aux truffes.

Parmentier au caviar à l'huile de truffes noires et blanches

Grosses noix de Saint-Jacques farcies d'embeurrée de choux et hachis de pieds de porc

Marbré de bœuf d'Islande au foie d'oie et truffes

Gâteau de Brie truffé

Meringue à la poire et Chantilly

Champagne Lanson 88
Château Guillot 93, Pomerol
Clos Labère 93, Sauternes

Dîner du Millénaire

Pour Folon, l'artiste

BELGIQUE

« Je représente la troisième génération de cette maison et la quatrième incarnée par ma fille Laurence, et son mari Lionel s'apprête à prendre la relève. Nous l'y aiderons petit à petit, en veillant à la conseiller dans la voie qui fut toujours la nôtre en lui laissant de plus en plus de responsabilités. Léguer est tellement important. »

Ainsi s'exprimait Pierre Wynants le 7 avril 1999, un grand jour pour le Comme chez soi : on fêtait le 20ᵉ anniversaire des trois étoiles Michelin du chef-patron et le gratin de la gastronomie belge et française s'était donné rendez-vous dans la salle à manger signée du maître coloriste Horta, au rez-de-chaussée du très fameux restaurant bruxellois.

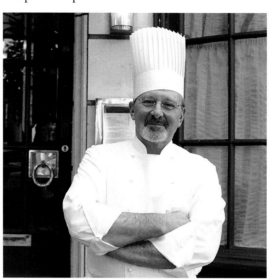

Comme chez soi

Le père Wynants, l'épouse, la fille et le gendre

Jean-Claude Vrinat, Jean-Pierre Haeberlin représentaient Tradition et Qualité, la très huppée association de grandes tables du monde où les rivalités, les coups de poignard dans le dos, les crocs en jambe et autres ne sont guère prisés, la gaieté, l'amitié, la fraternité de gueule faisant office de toile de fond. Tant mieux. Il faut préciser que la compétition fondée sur la qualité de maisons n'exclut pas la convivialité.

Bienheureux Pierre et Marie-Thérèse Wynants, ils ont trouvé un successeur grâce à la séduction, à la beauté, à l'amour de Laurence, leur fille, pour le longiligne Lionel, ancien élève de l'école hôtelière belge et, ci-devant, adjoint en toque de son beau-père. Comme le hasard fait bien les choses ! Transmettre son savoir-faire et son éta-

blissement à sa fille - en salle - tandis que le gendre pilote la brigade des cuisiniers : un rêve. Un accomplissement. Le vœu de (presque) tous les maîtres de la poêle du XXᵉ siècle : Pierre Troisgros à Roanne, Georges Blanc à Vonnas, Michel Lorain à Joigny, Michel Roux au Waterside Inn près de Londres, Juan Mari Arzac à San Sebastian…

Le Comme chez soi épousera le fil du temps, le père passant le relais à Laurence et Lionel sans heurts ni soubresauts. Aucune autre solution n'a été envisagée pour la bonne raison que Laurence, formée par sa mère Marie-Thérèse, « dont je ne dirais assez l'importance à mes côtés » (P. Wynants), accueille les clients depuis dix ans ! Un bail. Un beau jour, l'adolescente annonce à ses parents qu'elle souhaite entrer à l'école hôtelière afin de pouvoir aider sa maman. Stupéfaction des parents. Transport de joie. « C'est dans les gênes, dit la mère. Spontanément, elle m'a secondée. »

Tombé dans la marmite aux saveurs envoûtantes grâce à son oncle, un traiteur qui faisait bon, le futur gendre, entré au Comme chez soi à l'âge de 25 ans, eut à faire bonne figure - et ses preuves. Que sait-on de la musique culinaire et du goût juste quand on est lesté d'un bagage technique voguant entre les légumes tournés, la cuisson longue des haricots verts, le découpage d'un poulet, et la sauce tartare - quelquefois meilleure en pot ? Modeste arpète face au Bocuse belge, à l'ancien chef du roi, le doux Lionel fit montre de son enthousiasme pour l'assaisonnement, la cuisson et la quête du meilleur produit - la première chose que l'obséquieux Wynants vérifie le matin, à peine arrivé. « Un perfectionniste, dit Marie-Thérèse, un inquiet de tous les jours. »

Pensez donc, il a été le second chef belge à avoir décroché les trois étoiles après le regretté Marcel Kreusch, l'inoubliable créateur de la Villa Lorraine. Il s'agit de tenir son rang, et ne pas décevoir ces messieurs du guide rouge qui vous ont accordé leur confiance. En 1953, la première étoile récompense les grands-parents ; la seconde, en 1966, le père de Pierre et lui-même ; en 1979, le fils seul. Une lignée, un lien, une filiation que le chef-patron à la barbiche et sa superbe épouse entendent poursuivre.

Donc Lionel a plu. On ne sait si la sculpturale Laurence lui a refilé de judicieux conseils sur l'oreiller, la façon d'aborder papa, de ne pas le brusquer, de l'amadouer - ses colères sont

homériques. Familier de son *alter ego* Wynants, le père Romeyer, pas un chef facile non plus, s'était chargé de moduler les ardeurs de Lionel après un fructueux passage dans chacune des parties - légumes, viandes, poissons, pâtisserie du Comme chez soi - le gendre fut admis dans le cénacle des têtes cuisinantes de l'établissement : c'est-à-dire à la création des plats nouveaux. Un sacerdoce !

Et le père Wynants ayant décrété qu'il y avait sept saisons calquées sur les asperges, les fruits rouges, les gibiers comme le perdreau et le pigeon ramier, les jets de houblon, les morilles, les truffes blanches, il faut se fendre de préparations jamais vues. D'où de fortes séances de dégustation, des repas à problèmes et énigmes. Un challenge permanent.

Vu de l'extérieur, le gourmet se satisferait des grands classiques maison, ces assiettes de

Le coude à coude fraternel dans la salle décorée par Horta.

BELGIQUE

mémoire qui titillent votre cervelet et votre bouche. Qui ne fantasme sur la gelée de caviar du grand Robuchon ?

Chez Wynants, ces réjouissances salées s'appellent les divines mousses de jambon cru ou fumé, d'anguille, de crevettes, de pigeon sauvage (autre nom prévu), les filets de sole au Riesling, le filet

Eh bien non, Wynants n'a qu'une obsession : toujours mieux. « Cherchons et trouvons », dit-il à Lionel qui suit le mouvement, car les fins becs de Belgique sont de fieffés mangeurs. Les éblouir n'est pas aisé : qui disait qu'ils étaient les meilleurs palais d'Europe ? Jugez de l'ambiance gourmande des deux salles du Comme chez soi : la fratrie des becs salés se croit au paradis.

Pierre Wynants au passe, centre névralgique du Comme chez soi.

de bœuf aux truffes noires, les noisettes d'agneau aux morilles fraîches, le Chateaubriand au beurre bourguignon à l'échalote, les ris de veau aux truffes - choisissez les grands Bourgogne blancs, les crus classés de Bordeaux ou les rouges de la Côte Rôtie de Guigal prélevés de la fabuleuse carte des vins, à votre guise. N'est-ce pas cela s'envoyer au septième ciel chez un cuisinier méticuleux qui voit et goûte tout au passe-plat ?

Noisette d'agneau de lait provençale

La belle cave pour l'apéritif des amis.

Mais le père ne s'apprête en rien à quitter les lieux, et à émigrer sur la Côte d'Azur ou à Knokke-le-Zoute. Il veillera au grain. La triste leçon de Fredy Girardet porte ses fruits. Passer le relais n'est pas abandonner le navire. Bienvenue à la quatrième génération en attendant Loïc et Jessica, au biberon et en culottes courtes.

Et que dire de la table d'hôtes dont les murs sont noircis de signatures célèbres - un conclave de gargantuas… ?

Vous dirais-je les dernières pépites du sieur Wynants ? La gelée royale de volaille aux truffes, l'un de ses plus beaux plats selon Marie-Thérèse, et le moelleux de pommes de terre au caviar, cousin du parmentier au caviar de l'autre Belge, triplement étoilé, Jean-Pierre Bruneau. Et cela n'affecte pas la santé, autre obsession du chef patron.

À soixante ans à peine révolus, Wynants aura une vieillesse apaisée. Du moins, ses proches le pensent - depuis que Lionel et Laurence ont été jugés aptes à faire perdurer le Comme chez soi.

Le bouillon de vanettes à l'huile d'olive et piments doux à la sauge

La poêlée de sandre en supions aillés, croustillant de Jabujo aux herbes

Le cochon de lait aux morilles fraîches asperges et fèves, boudin d'épaule

La fraîcheur d'agrumes en fine gelée à la badiane et Mandarine Napoléon

Riesling Cuvée Frédéric Émile 89, Trimbach
Château Meursault Les Rougeots 92 J.F. Coche Dury
Angélus 90
Rivesaltes Boudeu 95

Dîner du Millénaire

à la mémoire d'André Parcé

Grosses huîtres de Zélande et œufs de caille pochés au caviar ; mousseline de pommes de terre, beurre léger au champagne et échalote, tuile sucrée et salée ; grosses langoustines du Guilvinec rôties aux chicons jus de pommes vertes et curry léger, pommes de terre ratte et chou-fleur au caviar ; ces beaux plats ont propulsé Geert Von Hecke au firmament de la grande restauration belge, au même rang que le maître Pierre Wynants, Jean-Pierre Bruneau de Bruxelles et en Flandre Roger Souvereyns, sculpteur de cuillères goûteuses. Au physique, le rond Geert a la dégaine d'un personnage de la peinture flamande, trapu de taille, la tignasse blonde, l'allure d'un gueulard façon Peter Ustinov qui entend participer au banquet de la vie. Et régaler ses frères humains.

En 1996, cet enfant de la campagne brugeoise a décroché la troisième étoile dans son restaurant de style cossu bourgeois, l'ancien hôtel des impôts de la ville, réaménagé sans faux luxe pour soixante couverts. Une verrière au fond du bar, un jardinet abrité par des hauts murs, et bientôt un mini-hôtel de neuf chambres dans l'une des dépendances : l'ancien arpète de la Villa Lorraine a conquis ses galons et un fidèle public grâce à une implication totale dans sa cuisine - jamais absent - et à un savoir-faire, un éventail de talents - il est aussi pâtissier - qui ne peuvent qu'émouvoir le gourmet. Cinquante-cinq kilos de truffes par an, Die Karmerliet est une étape marquante de l'Europe de fins becs. Il faut y aller. Et Bruges est si belle - la Venise du Nord.

Die Karmeliet

Geert, l'Einstein du salsifis frit

Oui, un cuisinier de vocation. Toute une vie forgée par l'amour de la bonne chère : c'est le *self made cook* par excellence. Il s'est fait tout seul après un parcours initiatique en règle.

« Avez-vous jamais songé à faire autre chose dans votre vie que la cuisine ? » À seize ans, il passe ses vacances en Savoie dans un village de montagne à la plonge et aux légumes. Arpète à l'école hôtelière, il a deviné que son existence se déroulerait entre le four à charbon (puis à air pulsé), les paniers de chicons, les moules, les crevettes grises, le cabillaud et la grosse sole du dimanche. L'Europe du Nord et ses richesses accommodées pour la table, tel est son horizon. Avec un jour, l'espoir d'ouvrir un restaurant.

« Cuisinier pour les autres, c'était mon lot. Je n'avais pas l'intelligence suffisante pour entrer à l'Université. » Touchante confession d'un Flamand pétri de talents, bosseur comme Alain Passard et rigoureux comme Alain Chapel, son maître. Et puis, mieux vaut un génie du lièvre à la royale, un as des Saint-Jacques rôties, un prince de l'huile chaude qu'un professeur ou un avocat de plus...

Formé par Freddie Van de Casserie, chef de la Villa Lorraine, le trois étoiles bruxellois de l'époque de Marcel Kreusch, le Lasserre belge, le commis Geert a ressenti le vertige de la haute cuisine chez Troisgros puis chez Alain Chapel auquel il adressa plusieurs lettres de candidature. En vain. Nous sommes en 1979 et grâce à l'intervention du père Noterdam, patron très averti de l'école hôtelière belge, il réussit à intégrer la brigade de Mionnay, aux côtés des valeureux anciens Guy Gâteau, Philippe Jousse, Maurice Lacharme, chef en titre à la mort d'Alain Chapel. Il commence à la pâtisserie dans l'ombre de Jeannot, le sorcier des bugnes puis il est responsable du garde-manger - foie gras, volaille froide farcie au foie gras, tourte de gibier, de canard - de la belle ouvrage. « La marchandise superbe, les truffes, les poulardes, la langouste, tous ces crustacés de Bretagne, cela m'a ébloui et convaincu que la grande cuisine exigeait des produits d'exception. »

Après un détour par le Dodin Bouffant de Jacques Manière, il revient au pays natal, à Bruxelles, à la Cravache d'Or du chef Bernard, en semi retraite. Il est second, et deux jours par semaine, responsable de la cuisine. Les huîtres chaudes, un des must du Karmerleit viennent de la Cravache et de la Villa Lorraine, réinterprétées par lui.

Comme Alain Ducasse, Geert Van Hecke revendique le legs Chapel - bien que ce dernier, d'un naturel taciturne ne lui ait adressé la parole qu'une seule fois en un an. « Geert, on est bien d'accord, tu reviens ici après les vacances d'été. » Ainsi fera-t-il deux années chez le génial Bressan - sans avoir jamais été chef à part entière.

C'est cette frustration intime qui l'a poussé à s'installer à Bruges. À se lancer seul. Modestes débuts dans un ancien couvent de Carmélites, une masure de nonnes qu'il arrange en gentille maison de bouche à la flamande. Chichement.

Geert von Hecke et son épouse, maîtresse de maison, la réussite d'un couple.

BELGIQUE

Des salles à manger sans tape à l'œil, et une cave admirable à des prix doux.

Trois personnes pour faire tourner l'établissement, souvent désert - c'est là qu'il façonne les langoustines du Guilvinec rôties au curry léger - mais les bourgeois tardent à adopter l'enfant de la banlieue locale. Par bonheur, le Michelin étoilera Die Karmerliet ce qui fera décoller l'endroit. Merci Bibendum !

Le saut dans l'inconnu, l'acharné Geert l'accomplira en 1990 avec l'acquisition de la bâtisse actuelle, un vrai restaurant « grande carte » comme on disait après la Seconde Guerre. De l'espace, un bon confort, un salon d'attente, une cuisine-laboratoire bien équipée, Geert sait qu'il ne pourra aller de l'avant dans un mouchoir de poche. Aujourd'hui, le chef-patron et ses deux seconds mitonnent une singulière palette de plats de luxe - bien plus que certaines tables de renom à Paris. La Belgique ou la profusion des nourritures…
Un tel parcours méritait d'être narré car il est exemplaire à notre époque de frilosité chez les jeunes chefs. Où sont les prises de risques ? Les jeunes toqués qui tentent l'aventure en abordant

les rivages de la grande cuisine ? Où sont les futurs Wynants, Bruneau ? Les prochains Guérard, Passard, Loiseau, Ducasse ?

Né dans la cuisine de sa mère, Van Hecke a gravi tous les échelons de l'excellence - et c'est l'acharnement du toqué conjugué à sa gestuelle si alléchante qui forcent le respect.

Béarnaise légère, préparation à la Souvaroff (foie d'oie et truffes), cuisson de sept heures pour le lièvre, ris de veau en croûte de champignon, parmentier marbré de perdreau et foie d'oie aux marrons confits, Van Hecke sait tout des classiques et saveurs marquées. Un chef-d'œuvre qui a fait venir les larmes au très fin gastronome Léon Beyer : les demi-deuil de noix de Saint-Jacques, dés de pieds de porc et chou vert « parmentier ». Tout l'art du Flamand aux yeux clairs est là : la personnalisation d'une recette traditionnelle, les Saint-Jacques rehaussées par les effluves de truffes. Sur un grand tokay mûr, une splendeur. Des poissons et crustacés de la mer du Nord,

Geert sait les magnifier ; que ce soit l'épaisse sole panée, ou le gros cabillaud superbement mouillé d'un bouillon de pommes de terre aux petits légumes et de crevettes grises épluchées à la main - un travail de titan.

Il y a chez lui la maîtrise du maître queux classique, rassurant et juste dans ses cuissons et garnitures. Cela ne bride pas sa créativité ni les nuances personnelles qui enchantent le gourmet : la mozzarella en coussinets à la truffe et basilic, le chou-fleur au caviar, hommage à Joël Robuchon, la polenta traitée en frite et les salsifis frits, une gâterie de moine paillard. C'est l'as du salsifis dont il fait aussi un sabayon…

Et l'on pourrait détailler mieux la carte, un véritable régal pour l'œil et la salive. Je ne dis rien des desserts, des ravioli à la vanille escortés de pommes, en chaud-froid - à damner un saint.

Oui, voilà un Flamand généreux qui a la grande cuisine au bout des doigts. À des prix plus que raisonnables pour un tel niveau de volupté. L'accueil maternel de Mireille la blonde épouse, le service discret, vif sans précipitation, les pains goûteux et les vins de Bordeaux à des tarifs amicaux. En mars 2000, quelques chambres jouxteront Die Karmeliet pour le repos du mangeur expédié au septième ciel.

Fricassée d'asperges aux truffes et aux pommes grenaille

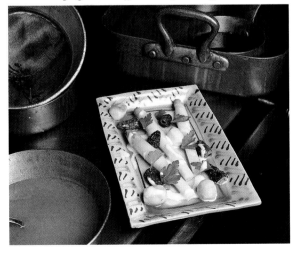

Coussinets de mozzarella et céleri rave à la truffe du Périgord, huile de basilic

Pavé de cabillaud cuit avec sa peau, bouillon de pommes de terre aux petits légumes, crevettes grises de Zeebrugge épluchées à la main

Demi-deuil de Saint-Jacques et truffes noires, dés de pieds de porc et chou parmentier

Ravioli de vanille, chaud-froid de pommes

Riesling 90 Hugel
Château Beauregard 82 Pomerol
Banuyls Solera A. Parcé

Dîner du Millénaire

119

Pour l'Alsacien Jean-Louis Leimbacher

Heureux Juan Mari Arzac : il a retrouvé sa jeunesse, la fougue de ses débuts de chef pionnier de la cuisine basque quand il réussit à transformer la taverne familiale (1898) en grand restaurant de l'Espagne post-franquiste - le premier trois étoiles de l'histoire ibérique. Pas rien si l'on considère le formidable bond en avant de la cuisine espagnole, dynamisée par la movida, passée des fritures à l'huile et riz collant aux gelées chaudes du maître Ferran Adriá. De la nuit à la lumière : l'Espagne, dauphine de la France dans la recherche culinaire ? Demandez à Joël Robuchon, à Alain Ducasse, à Alain Passard qui franchissent souvent les Pyrénées.

Oui, Juan Mari Arzac, le Bocuse d'Espagne, le parrain de tous les cuisiniers dignes de ce nom a de quoi bénir le ciel : sa fille Helena, 30 ans, une jolie brune qu'on dirait sortie d'une pièce de Garcia Lorca l'a rejoint en cuisine après une sorte de tour de France des maîtres de la poêle, de Claude Peyrot au Vivarois de Paris jusqu'au Gavroche de Londres, en passant par Alain Dutournier, Troisgros, Pierre Gagnaire et Alain Ducasse, un singulier bagage, non ? En apothéose, les leçons magistrales du Dali de la chère liquide, Ferran Adriá, « le cuisinier le plus imaginatif, le plus révolutionnaire du XXᵉ siècle, celui qui a créé la rupture », dit de lui Juan Mari Arzac, son ami.

Étrange coïncidence, Helena s'est frottée à l'art des Troisgros vingt ans après son père… Un conte de fées ? Helena et son père, ce pourrait

Arzac

Le chef basque

être le thème d'une pièce de Giraudoux, c'est le tandem uni qui pilote l'ancienne bodega de la famille - la mère au piano, le père en salle - où l'on régalait les gens du coin de merlu au riz sauce aux palourdes, de soupe de morue et autre crème brûlée onctueuse, le tout arrosé de Rioja coloré.

Le pays basque, San Sebastian et les villages frontaliers n'ont jamais cessé d'être des terres de fourchetteux affiliés à de multiples clubs ou associations défendant le piment, le chorizo, la morue, la bécasse, l'huile d'olive, les vins… Pas de grands cuisiniers sans fidèles, sans un public réceptif, présent, exigeant. Pas de bons cuisiniers basques sans l'influence, la trace, le legs de la mère, de la tante, de la grand-mère. « Tout, chez nous, vient de la femme qui donne à manger et forme le goût des enfants. C'est la force de la tradition. J'ai tout appris de ma mère et, ce que je sais de la gestuelle du cuisinier, je l'ai transmis à Helena. Elle m'a toujours écouté comme je suis attentif à ce qu'elle veut. Nous nous respectons même si j'apporte l'expérience, le poids du passé. Elle me donne la fougue de sa jeunesse. Et nous avançons tous les deux aux côtés des vingt cuisiniers de la brigade. »

Il ajoute qu'avec sa fille il a tiré le bon numéro à la loterie de la vie, qu'elle le comble par son savoir-faire et son goût devant l'assiette. Elle a la cuisine dans le sang depuis l'âge de 19 ans quand elle mitonnait des tapas de la carte de son père. Cela s'appelle tomber dans la marmite !

« Si elle me dit qu'elle n'aime pas mon plat, je ne me fâche pas, avoue Juan Mari. Si je lui dis que je n'aime pas son plat, elle ne s'offusque pas. » Créativité et abondance de la cuisine à quatre mains.

Ainsi ne s'étonnera-t-on pas de découvrir une fort généreuse nomenclature de mets, l'une des plus riches des trois étoiles d'Europe comprenant 25 plats et 10 desserts, un véritable récital gourmand appliqué à un large éventail de produits de base locaux - et la bécasse quand un chasseur donne sa prise à Juan Mari, ce qui est permis. Les Basques sont gâtés par la nature environnante, des poissons et crustacés au jambon, légumes et fruits en passant par les volailles et le chevreuil en saison. C'est le jardin d'Éden, une sorte de paradis pour les gueulards de tous pays et, pour couronner le tout, la modestie et la tendresse de Juan Mari et d'Helena pour les visiteurs.

Peu de tables de prestige dans les pays développés dégagent un tel parfum d'amitié et de partage. Les chefs français qui pratiquent l'arrogance et l'ivresse du moi devraient observer ce qui se passe, aux heures des repas : d'authentiques fêtes des papilles, chez les Arzac, chez Ferran Adriá et Julio Soler, et chez Santi Santamaria, le quatuor de tête des chefs d'Espagne sans oublier Martin Barasatégui et quelques autres. Venus du néant de la paella industrielle, autodidactes parfaits ou forts en thèmes gourmands (le cochon pour Santamaria, le merlu pour Arzac), ils font leur métier mus par une sorte d'ingénuité mêlée d'un savoir-cuisiner hors normes. Ils aiment les clients autant que leur cuisine vraie, et ils veulent donner du bonheur comme Alain Chapel à son époque - en nous faisant savourer la vérité vraie de leur cuisine. Cela mérite d'être médité au pays de Brillat-Savarin, d'Escoffier et de Curnonsky où la pompe ajoutée à l'artifice du

Le père et sa fille, un tandem professionnel enrichi par les sentiments.

ESPAGNE

Dans la cuisine du restaurant, Juan Mari et Helena à l'heure du service.

Le débondage au fer rouge d'un vieux vintage de porto, un savoir faire.

décorum - ah ! ces lavabos à robinets dorés - masque l'émotionnel de table, selon le mot de Jacques Puisais.

Voyez chez Arzac la salle à manger au tissu orangé, les tables sagement rangées en un quadrilatère simplissime : nul apparat de façade, l'heure est à la bonne gourmandise introduite, expliquée, détaillée par Juan Mari et sa fille qui accueillent les visiteurs comme des amis. C'est lui qui versera le jus de cuisson brûlant sur la friture de morue, le premier plat sonore d'Espagne, c'est lui qui conseillera l'œuf à la purée de chorizo et dattes accompagné de pain d'épices - « l'un des plus beaux plats de ma vie », dit Juan Mari.

Et que dire du merlu à la texture de soie parfumé à l'huile de noisette, mouillé d'une sauce aux palourdes, accompagné de pommes fruits caramélisées - un classique maison. Je ne dis rien de la gâterie au cacao, badiane et citron, un « final » de sorcier…

Remarquez la profonde singularité de ces plats que vous ne retrouverez nulle part. Pour Juan Mari et Helena, la création, les essais, les recherches sont l'honneur du cuisinier. Et puis un tel amour filial, et le père saisi par le talent de sa fille, cela embellit tout.

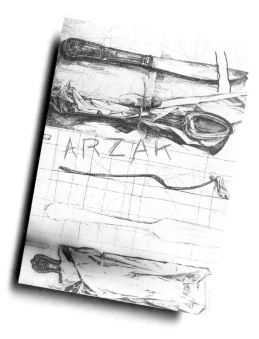

L'œuf à la purée de chorizo

L'œuf à la purée de chorizo et dattes
Le merlu à l'huile de noisette,
sauce palourdes
Le chevreuil à la trévise et airelles
Le dessert au chocolat

Chivita 94 rouge

Dîner du Millénaire

123

Pour Béatrice Cointreau

Glace au parmesan, sucettes salées à la bette-rave rouge, gelée chaude à la mœlle, ravioli liquides au coco et gingembre, écume de pommes de terre aux truffes, soupe de turron aux amandes, l'invraisemblable génie de Ferran Adriá se déploie deux fois par jour dans l'estaminet de pierres blanches planté à flanc de coteaux sur la mer à la Calle Montjoi, près de Rozas, distant de cinquante kilomètres de Perpignan. Ce ludion aux poils noirs, à la parole vibrante, catalan dans l'âme, râblé comme Claude Nougaro, fait la cuisine comme personne au monde.

En 1998, le Michelin espagnol lui a décerné sa troisième étoile aux côtés du pionnier Arzak et de Santamaria, le très talentueux chef-patron d'El Raco de Can Fabés, près de Barcelone.

Tout repas composé par Ferran Adriá comprend un minimum de quinze plats précédés, sur la terrasse en surplomb de la mer, d'une douzaine de tapas maison, destinés à nous familiariser avec le style culinaire du Dali des fourneaux. Cadaqués, village emblématique du grand Salvador est tout près de Rozas : montres molles et ravioli liquides. La filiation n'est pas fortuite. Le fantasque Adriá qui revendique la création de trois cent cinquante plats écrit dans la préface (150 pages) de son livre, *Les secrets d'El Bulli, recettes, techniques et réflexion*s d'une étonnante simplicité de lecture : « La cuisine est-elle un art ? Peut-on comparer Robuchon et Picasso, Arzak et Kandinsky, Girardet et Miro ? »

La question est loin d'être gratuite quand on analyse le déroulement, le rythme, la succession

El Bulli

Écumes, gelées et sucettes de Ferran Adriá

des assiettes signées Ferran Adriá. D'abord, aucune esbroufe, les produits de base sont ceux de tous les chefs sudistes d'Europe - du calamar à l'huile d'olive en passant par le maïs, les sardines, les coques, les asperges, les cèpes, les piments. Tout l'art de Ferran Adriá, sa créativité époustouflante, sa gestuelle de super technicien consistent à détourner le produit de base afin de forger une autre texture en bouche et un goût plus vrai.

Cela n'exclut pas la provocation réfléchie, l'ironie et l'humour. Que dites-vous des croquettes liquides, sucettes ovales, bonbons à la pistache et autres grains de riz soufflés, en prélude à vos repas ? Qui ose cela ? Qui vous sert un fin palmier de parmesan suivi d'une algue caramélisée en escorte du vin de champagne, seul compagnon de ces amuse-bouche venus d'une autre planète ? Voilà bien le cuisinier magicien et prestidigitateur qui distrait, provoque le sourire et le rire complice quand surgit l'admirable gâteau glacé fourré de parmesan, « le corte » cher aux Catalans - un pur chef d'œuvre.

« J'ai beaucoup lu. J'ai une collection de livres de cuisine. Je connais tous les grands cuisiniers français, Robuchon, Gagnaire, Troisgros, Bocuse dont j'ai savouré les créations. Pendant dix ans, ici à la Calle Montjoi, j'ai pratiqué la cuisine classique, celle d'Escoffier, de Guérard, de Joël Robuchon que je respecte beaucoup. Je ne livre pas un combat contre elle au nom de la créativité, de l'innovation, du changement dans la gestuelle de la haute cuisine, je sers un ensemble de plats dans un menu-dégustation qui sont le fruit de mes recherches, de mes essais, et de ce que la technique, les instruments de la technologie moderne - fours à air pulsé, micro-ondes, salamandre - me permettent de réaliser afin de révéler au mieux la saveur, la force, les fragrances des aliments de base », explique Ferran Adriá au milieu de sa cuisine-laboratoire où s'affairent trente-cinq cuisiniers et pâtissiers pour seulement quarante-cinq couverts par service.

Oui, Ferran est un fou de la cuisine. Un électron libre qui vit chichement alors que sa gloire naissante pointe à l'horizon et que les pesetas affluent - cours de cuisine à Madrid, à Rozas, livres « best-sellers » et clients en attente. Tous les trois étoiles d'Europe ont fait ou feront le pèlerinage à la Calle Montjoi où l'on peut accé-

der par bateau. Quel symbole ! C'est le Christophe Colomb de la nouvelle cuisine espagnole qui a jeté l'ancre - et son piano - dans la Catalogne marine et terrienne.

Il faut mériter le voyage à El Bulli, tout comme chez les Santini du Pescatore, près de Mantoue. C'est au bout du monde, loin de tout, au cœur d'un périmètre de nature amendé par le seul chef surréaliste de la cuisine moderne. Qui utilise le siphon du barman pour confectionner des mousses, des écumes, des crèmes ? Pas de grand queux sans la connaissance pratique de la technologie.

Comme d'autres travaillent le cru et l'à peine cuit, Ferran est l'as de la liquidité culinaire. C'est le Paganini du cromesquis retrouvé par Marc Meneau à Vezelay - un emprunt ? Tout se boit et se mange de concert puisque Ferran recherche

En bordure de mer, sur la falaise, El Bulli au décor rustique.

Le maestro, le Dali de la cuisine dans son laboratoire de saveurs et de goûts.

autant la texture en bouche que le goût et les sensations thermiques. Chaud et froid alternent dans le récital de plats déconstruits, « la seule façon de percevoir et de sentir mon processus de création ».

Loin de moi l'idée de suggérer que ce chef hors du commun est un autodidacte doublé d'un savant. Ce n'est pas un expérimentateur plus ou moins farfelu, un bricoleur de saveurs, un gros bonnet travaillé par le concours Lépine de la casserole. Écoutez-le définir sa philosophie, un vocable familier.

« Je me suis toujours demandé le pourquoi des recettes de la grande cuisine française ; *quid* du homard thermidor cuit, grillé, passé à la salamandre : un peu chargé, non ? Et *idem* pour les filets de sole roulés et farcis puis cuits. La base de mon travail est la mise en valeur du produit de base et non sa destruction. Jamais d'artifices : les coques d'El Bulli sont gorgées d'iode, et les amuse-gueule au parmesan livrent une expression forte de ce magnifique fromage. »

Près de vingt plats envoyés selon un rythme vif, sans temps mort, détaillés sans verbiage par le personnel de salle - que mange-t-on au juste ? - il faut se laisser prendre par la cadence du repas, par ces variations moelleuses, gluantes, caressantes qui marquent « les houppes nerveuses et sensitives de tout palais délicat » (La Reynière). Stupéfait, bluffé, abasourdi par la maîtrise de Ferran Adriá, Joël Robuchon dont la seconde patrie ex æquo avec le Japon est l'Espagne, lui tresse des louanges dans ses articles du *Figaro*.

Juli Soler et Ferran Adriá, un duo.

« Voici le plus grand cuisinier d'Europe depuis que Fredy Girardet a pris sa retraite. » Un sacré compliment de la part du maître incontesté de la haute cuisine moderne, inventeur de la gelée de caviar à la crème de chou-fleur, qui reste baba devant la gelée glacée servie chaude et l'écume de pommes de terre aux truffes, l'antipurée lissée au beurre de Robuchon lui-même, un autre chef-d'œuvre arachnéen du Catalan aux doigts de Zeus. Tant de variations sur des ingrédients simplissimes !

Sidérante aussi la fécondité de Ferran, un geyser de préparations moins complexes qu'on ne le pense - c'est la cuisine de la pluralité, quelque cent vingt produits entrant dans le menu dégustation. Phénoménal !

« La créativité est tout sauf de la copie », le mot est de Jacques Maximin qui fut, en 1984, l'un des maîtres de Ferran Adriá dont les yeux brillent quand on évoque l'ancien chef prodige du Negresco - la grande époque de Max. Mais c'est la reconnaissance par Joël Robuchon qui le bouleverse. « Si l'on me demande de choisir entre la troisième étoile du Michelin et l'amitié de Joël, je choisis le chef français, sans hésiter. »

Un chef qui imagine et concocte l'irish coffee de calamars au jus de truffes tout comme l'essence de crustacés (jamais de fumets de poisson) et la fondue de langouste, fait progresser l'art de manger en laissant pénétrer le gourmet dans les arcanes du goût inexploré. Un repas chez Ferran Adriá et son complice Julio Soler, l'*alter ego* en salle, est une aventure inoubliable. Alexandre Cointreau, l'a bien vu : « Ce n'est pas de la cuisine, on est dans un monde imaginaire. »

Et Alain Passard, impressionné par la virtuosité de Ferran conclut : « La cuisine d'El Bulli prouve que l'on peut aller au-delà de ce que nous faisons. » Et Joël Robuchon : « Au même titre que Dumaine, Chapel, Delaveyne et plus récemment Fredy Girardet, Ferran Adriá marquera son époque. Il y a eu la cuisine espagnole d'avant Adria. Elle ne sera plus la même après. »

Spaghettis de mangues aux coulis de mangue.

Parmi la vingtaine de tapas et plats :
El corte de parmesano
Croquetas liquidas
Espuma de patata al tartufo
Sopa de turron con isla flottante

Brut Gosset Rosé
Brut Gosset grand millésime 89
Brut Gosset célèbre 90

Dîner du Millénaire

Pour Jean-Michel Parcé

Où naissent les restaurants trois étoiles d'Europe ? Pas seulement dans les métropoles, les capitales provinciales (Lyon, Strasbourg, Dusseldorf) ou aux abords des voies de communication automobile (l'ex-nationale 7), mais dans des lieux mystérieux, loin de tout, animés par le génie, l'énergie, la volonté d'un cuisinier. Songez à Roanne sans les Troisgros, à Eugénie-les-Bains sans Guérard, à Runate (34 habitants, 45 kilomètres de Mantoue) sans les Santini, la cohorte des gourmets ferait son deuil de quelques étapes de haute gueulardise.

Vous voici à San Celoni, en Catalogne, à quelque 45 kilomètres de Barcelone en venant de Perpignan, un gros bourg installé autour d'usines chimiques, sans cachet ni particularité : c'est là que Santi Santamaria, un Catalan au physique de colosse barbu, une vraie boule de tendresse a planté ses pénates et ouvert, en 1989, un modeste estaminet dans l'ancienne maison familiale où il est né.

El Raco de Can Fabès

Santi Santamaria, le Catalan de la mer et de la terre

Au début du siècle, c'était une ferme catalane, et les vaches espagnoles dormaient dans l'étable, métamorphosée en une cuisine vaste comme chez les Troisgros, plus étendue que la salle à manger - c'est le genre de détail architectural qui désigne le très grand cuisinier, soucieux de son évolution personnelle - et de son art. L'atelier, la source de tout.

Le brun Santi, un itinéraire à nul autre semblable : fils d'une ouvrière en textile et d'un père paysan paralysé, dessinateur industriel après l'adolescence afin de faire vivre ses parents, le Catalan au regard d'aigle est venu à la restauration par nécessité dans le sillon creusé par sa mère puis mu par la passion de la chère, des produits sauvages et du goût catalan, « notre goût », ainsi qu'il est écrit sur le menu. C'est un passionné de la poêle, du chinois, des réductions comme Pierre Gagnaire et Alain Passard, un personnage à la fois secret et volubile qui vit dans et pour son restaurant. Pour le bonheur de son public.

En dix-huit ans d'existence, El Raco de Can Fabès (le coin de Fabès) n'a équilibré ses comptes et gagné des pesetas qu'en 1998. La troisième étoile date de 1995, et le Michelin a dynamisé l'enseigne et la notoriété de Santi Santamaria : grâces soient rendues au guide rouge et à ses limiers gastronomades !

Émouvante ascension qui se devine en pénétrant dans l'établissement d'une touchante modestie, un petit hall d'entrée avec trois fauteuils, une salle à manger au toit de poutres, des murs nus, et la silhouette de la brigade de cuisine se profilant derrière un mur de verre : sûrement le trois étoiles le moins prétentieux d'Europe, la bodega ingénue du gâte-sauce local, touilleur de paella et de morue à l'ail - devenue l'une des trois grandes tables d'Espagne. Pas rien. L'Espagne est la terre bénie des gourmets du troisième millénaire. L'invention est partout chez les grands, et cela repose sur les traditions locales - du peuple.

Rien n'est plus exact pour Santi Santamaria. Plus Catalan que lui, ça n'existe pas. « Un homme de vérité », disait André Parcé, le chevalier de Banyuls qui l'a fait connaître à tant de fines gueules de l'hexagone. Ce Catalan enraciné, fils d'une mère dont il se souvient chaque matin en revêtant la tenue blanche, c'est un paysan à la gestuelle sublimée de prince des fourneaux qui parle de « l'éthique du goût » et non de l'esthétique de l'assiette, le sorcier des poulpes, les espardenyès, ces mollusques blancs qu'il mitonne comme personne et du lard paysan si bien travaillé, depuis, par Alain Ducasse. Tout un univers de saveurs, de textures, de parfums, qui vous envoient au septième ciel !

Comme Marc Meneau, le Bourguignon en pleine réflexion sur son métier, Santi Santamaria est d'abord le fils de son terroir catalan, et le marieur de la terre et de la mer. Un cuisinier de la simplicité, des légumes et des fruits, des champignons et asperges sauvages, des petits pois, des fèves, et des patates, sublimée par un style dépouillé où tout est mis en œuvre pour rehausser le goût. Du caviar d'aubergines aux cèpes mélangés à une touche de foie gras, il fait une sorte de dôme salé, tout comme cette sculpture de homard agrémentée de lumineuse gelée de truffes, et je ne dis rien de la fricassée de poulpes aux fèves, divin duo - jamais savouré nulle part. Du chevreau tendre, accompagné d'une purée à l'échalote, il tire tous les sucs en le caramélisant. Le turbot cuit à la perfection avec l'arête est escorté de morilles et d'asperges sauvages - Santi, le classique pur. Ce qui ne l'empêche pas d'offrir une assiette « futuriste » de lamelles de légumes à peine farcies de purée de

Un estaminet de village catalan pour un très grand cuisinier.

ESPAGNE

Toujours présent chez lui, Santi Santamaria dresse les premières assiettes.

La plus belle cave d'Espagne.

tomates ou de petits pois, un plat de rêve éveillé, une surprise gourmande dans le style coloré-savoureux des ravioli de Marc Veyrat - Santi, le chercheur.

Oui, un récital d'émotions fortes qui vous saisit au cœur, surtout si on a eu l'intelligence de confier l'ordre des plats au Gargantua Santi chez qui le rustique - les tripes de morue - cotoie le noble - le caviar beluga et le blini de pommes de terre.

« Pour moi, le caviar que j'adore est un luxe exotique », dit l'aubergiste de San Celoni dont la palette « colorée, claire, essentielle » n'a cessé de s'élargir depuis qu'il a obtenu les faveurs du Michelin espagnol.

Soucieux du plaisir de ses hôtes, il vérifie en salle si sa cuisine plaît et convient aux désirs secrets ou avoués des mangeurs. À San Celoni, un artiste de cette envergure, caché dans un angle de ruelle, ne peut qu'estomaquer le visiteur, le « foodiste » habitué à la cérémonie culinaire de Blanc à Vonnas, de Boyer à Reims, de Guérard à Eugénie-les-Bains ou de Michel Roux au Waterside Inn. À la limite, ne dirait-on pas qu'El Raco de Can Fabès est la seule adresse « grande cuisine » à pouvoir entrer dans le *Guide du Routard* ! Et c'est cela qui comble le fin bec, venu de France - ou d'ailleurs. Qu'un Catalan,

par les plats de la ferme - du pays profond. Les Landes et la Catalogne, sources infinies des bonnes choses…

Il faut faire le pèlerinage à San Celoni - sur la route des vacances - ou de Perpignan, quatre-vingt-dix minutes de route. Et le restaurant est fléché dans San Celoni. Courage, vous arrivez.

Salade de homard à la gelée de truffes noires.

fou de cuisine, ait transformé la masure familiale en un temple de la haute cuisine ! Qu'un fils de paysan ruiné ait trouvé en lui le souffle de la créativité, une « force mentale » (*sic*) et une abnégation quasi religieuse pour nous envoyer au septième ciel - bouleversante expérience - eh bien, chapeau bas ! Un détail : le livre illustré de Santi Santamaria - en catalan espagnol - s'est vendu à trois mille exemplaires en un mois !

Si Joël Robuchon a porté aux nues l'art de Ferran Adriá (El Bulli à Rozas, 50 kilomètres de Perpignan), Alain Ducasse vante la manière de Santi Santamaria - les deux derniers nés à cuisine

Salade de homard à la gelée de truffes noires

Caviar d'aubergines aux cèpes et foie gras

Turbot aux morilles et asperges sauvages

Gigot de chevreau à la purée et échalotes

Assiette de fraises, granité et sorbet

Guitani blanc 96
Collioure 91 Clos du Moulin, A. Parcé
Banyuls Rimage 90

Dîner du Millénaire

Nadia Santini au Pescatore, perdu dans la campagne de Mantoue, Luisa Valazza perchée dans le modeste relais gourmand de Soriso, un village piémontais de 750 habitants à 110 kilomètres de Turin et à 75 kilomètres de Milan - les deux seules stars de la « cucina italiana »- officient loin de tout, à l'écart de la civilisation urbaine et de la clientèle dite captive des gens d'affaires et des grands hôtels. Le périple chez elles, comme chez Michel Bras à Laguiole (Aveyron) se mérite. Il faut y aller - et demander sa route - à la manière des pèlerins de la quête gourmande : le plaisir du gastronomade est à ce prix. Christian Millau le disait déjà en 1982 à propos de l'expédition improbable chez l'ermite Bras : qui parmi vous amis gourmets a fait le voyage ?

Par chance, Nadia Santini et Luisa Valazza offrent le gîte aux visiteurs, encore que l'hôtel Margot soit distant de 2 kilomètres de la salle à manger du Pescatore. À une heure de Milan et un peu plus de Turin, Al Sorriso, au sommet du village éponyme, est la création récente d'un couple : Luisa et Angelo Valazza, uni, formé, constitué pour enfanter une très grande étape gastronomique - plus de 60 % de visiteurs étrangers, Suisses, Allemands, Américains en tête.

Qui dira l'attraction sans cesse croissante des nourritures de la Botte, des tables italiennes où des préparations d'allure simplissime - pasta, risotto, minestrone - prennent un relief, des goûts et des saveurs émouvantes si le talent est là ? Et quand c'est la femme qui est au piano…

Al Sorriso

Les sortilèges de Luisa au piano

Luisa, la cuisinière, passée par l'Université et Angelo, maître d'hôtel, directeur de salle formé dans les bons hôtels suisses et anglais - le Claridge de Londres - se sont trouvés dans les années 75-80, lorsqu'il pilotait l'Europa, un gentil restaurant de Borgomanero, un gros bourg, distant de quelques kilomètres de Soriso. Le Michelin de l'époque avait accordé une étoile à l'établissement dont la cuisine de style français plus qu'italien était tenue par un chef helvète fort consciencieux.

C'est lui qui va insuffler à la brune Luisa les rudiments de la bonne chère à la française, la sauce aux écrevisses par exemple. Étudiante en littérature à Milan, Luisa a suivi l'homme qu'elle aime dans les coulisses de l'Europa et, quand le gros bonnet oublie de revenir de vacances, elle enfile la veste blanche, la toque et se saisit du chinois. Aux fourneaux, elle est douée et volontaire, l'Helvète au palais subtil n'a cessé de l'encourager, lui conseillant même de troquer les secrets de Dante contre les leçons d'Artusi, l'Escoffier italien.

Ce qu'elle fera en 1981 quand Angelo, véritable restaurateur dans l'âme, décide de planter les casseroles au cœur du village de Soriso. Dans la ruelle centrale, un petit hôtel en déconfiture, tout en hauteur, idéal pour aménager une salle de restaurant de cinquante couverts, une vaste cuisine, huit chambres pour les clients - et un logement pour les propriétaires - l'aventure Valazza commence.

En cuisine, Luisa est seule, elle est condamnée à

tout faire, du marché à la vaisselle en passant par l'invention des plats. Cela s'appelle se jeter à l'eau. Le couple n'a pas les moyens d'aller visiter les restaurants de la région, la concurrence, mais Luisa, en fervente adepte de la lecture comme initiation à la vie pratique, dévore tous les ouvrages culinaires qui lui tombent sous les yeux. Ainsi, apprendra-t-elle les bases de sa vocation dans l'œuvre de Pellaprat, sa bible.

Tout sur la carotte par exemple, avant de travailler ce légume si souvent abîmé par la purée.

De la tomate, du pain, et du basilic, elle tirera un amuse-bouche délicat, « la quintessence des nourritures italiennes » dit-elle en souriant. Comme chez sa mère, elle travaille la pomme de terre farcie d'œuf qu'elle surmontera d'un gratin aux truffes blanches - un plat mémorable. En

Dans un village perdu du Piémont, une table pour esthètes du palais.

ITALIE

Très habile dégustateur, Angelo Valazza achète et conseille les vins : suivez-le.

salle, Angelo tranche, découpe, assaisonne comme un « butler » de la haute tradition anglaise. La cuisine, c'est lui aussi. Ça tombe bien car il sait manger et orienter la créativité réfléchie de Luisa.

Étrange passionaria de la poêle. C'est dans sa tête qu'elle conçoit le plat, parfums, cuissons, dispositions dans l'assiette. « Elle pense le plat et le réalise, dit Angelo, je le fais déguster à un client ami. Elle ne goûte jamais avant. »
Ainsi, d'une assiette à la Girardet, le premier cuisinier visité en 1985 : des scampi à peine saisis, escortés d'une crème de haricots cocos. Une gâterie.

Ainsi progresse-t-elle en vivant quinze heures par jour dans sa cuisine, la tête chercheuse de plats dépouillés et subtils en goût. Sa culture culinaire s'étend mais c'est son énergie, sa volonté, sa persévérance qui vont faire d'elle la meilleure cuisinière d'Italie. En 1986, elle décroche la deuxième étoile dans ce bled perdu d'où les réservations - six mois ! - surgissent de Californie, comme les lapins dans la plaine du Pô.

Disons-le, la truffe blanche a favorisé le glorieux destin de Luisa Valazza. Alba, le sanctuaire du champignon nacré, n'est qu'à une heure de voiture, et Angelo, habile manœuvrier a vite détec-

134

té les fournisseurs les plus fiables, ceux qui ne commercialisent jamais les boules rondes venues de Chine ou de Yougoslavie - des fausses merveilles aussi plates qu'une patate ! Le signore Rossano vend deux kilos de truffes blanches par semaine - en saison - à l'ami Angelo qui prend aussi celles qui ont peu de parfum - la truffe est capricieuse !

Ravioli aux truffes blanches d'Alba, risotto aux truffes blanches et jus de caille, risotto à la bécasse parfumé aux truffes blanches, huîtres chaudes gratinées à la truffe blanche, la symphonie se renouvelle chaque année car Luisa bouleverse sa carte - vingt plats au moins - chaque mois dès que les produits, asperges, Saint-Jacques, coquillages perdent en goût, en puissance.

« J'ajoute toujours ma fantaisie », confie-t-elle, ne disant pas que là est la quintessence de son talent.

Qui prépare les ravioloni verdi au fromage et beurre aromatisé comme cette vestale au regard tout de tendresse ? Lasagnes, gnochetti, carpaccio, risotto, Luisa a revisité l'ensemble des classiques de la cuisine de son pays, en apportant une touche, des nuances, une saillie gourmande bien à elle. Voyez les agrumes croquants caramélisés du carpaccio de base - couleurs, douceurs et légèreté.

Et je ne dis rien des succulences extraites de la courge, des myrtilles, des framboises noires, jaunes, blanches, de l'agneau de la région, du bœuf piémontais si tendre « qu'on le coupe avec les yeux », et que Luisa mouille d'un jus au barolo. Et que dire de cette moutarde à la poire William qui emballe la crépinette de rognon de veau - toujours la fantaisie ? Des plats ô combien essentiels, personnalisés, difficiles à reproduire car la brune cordon bleu a le culte du secret, du tour de main bien à elle.

Et puis quelle constance, jamais d'absences ni de voyages lointains. « Si le Sorriso est ouvert, nous sommes là, présents pour notre clientèle. » Belle leçon.

Cèpes farcis aux cèpes et sauce aromatisée à l'ail et aux herbes.

Assiette de scampi à la crème de cocos
Ravioli verts au fromage,
beurre aromatisé
Filet de bœuf piémontais au barolo
et truffes
Soufflé à la vanille et fruits de saison

Champagne Gaston Chiquet
Sito Moresco A. Gaja 95

Dîner du Millénaire

ITALIE

C'est loin de tout. On se perd, on demande son chemin trois fois. Dal Pescatore se mérite, croyez-moi ! En pleine campagne dans la plaine du Pô, « la région la plus riche d'Italie », dit le presque voisin Gualtiero Marchesi d'Erbusco, voici Runate, un mini village de cinquante habitants, traversé par la rivière Oglio, source de brochets à la chair délicate. Rustico-bucolique, l'auberge des Santini est visitée par de fieffés gourmets venus s'encanailler des recettes simplissimes de Nadia Santini, la seule cuisinière du globe à détenir les trois étoiles Michelin depuis 1996. Une autre reine italienne à Soriso, en 1998, voir plus loin.

À Florence, la Française Annie Feole, élève de Maximin le Niçois, fut la première triplement couronnée du début des années 90 mais elle a été rétrogradée au rang des tables deux étoiles d'Italie. Déceptions répétées, mauvaises notes des inspecteurs ? Elle mérite le détour via Ghibellina, à deux pas du Duomo et du palais Pitti, au bord de l'Arno.

« Mon mari, ma belle-mère et moi avons cherché à faire de notre maison de campagne un restaurant de tradition dans l'esprit des relais-châteaux, explique la brune Nadia Santini, de sa voix douce, sourire permanent et blouse blanche. Nous croyons fermement aux cinq principes magistraux de la chaîne française : caractère, calme, charme, confort et cuisine. Ils nous ont guidés dans notre évolution, depuis que nous visitons les grandes tables de l'hexagone, le Moulin de Mougins pour notre voyage de

noces, puis les Troisgros, Bocuse et quelques autres. Pour nous, ce sont de vrais modèles de maisons de bouche, si aimées du public connaisseur. »

N'allez pas croire que la famille Santini a calculé son coup au millimètre et mûrement réfléchi

Dal Pescatore

La fée Nadia en son paradis

à un relais gourmand à la française, installé dans les champs de maïs (ah ! la polenta fondante) de Lombardie. Les parents d'Antonio sont nés dans la verdure de l'auberge familiale, et le « pescatore » à l'hameçon chercheur, c'est le grand-père. Giovanni, son fils aux cheveux blancs, pantalon de velours et lunettes sur le nez, vous le verrez courbé dans le potager, éden d'abondance de ces lieux de vie et de bonne chère. C'est dans la terre brune des rives de l'Oglio, le long de ces parterres de plantes, d'herbes et d'agrumes que s'est édifiée cette auberge-trattoria chic, catapultée vers les sommets de la bombance par la fée

Nadia. Sans les cadeaux de la cueillette locale, pas de bonne chère pour les voyageurs en route vers Mantoue, Parme, Piacenza, Milan…

C'est presque de l'autarcie mis à part les anguilles… Dal Pescatore nourrit quelque soixante à soixante-dix visiteurs par jour et tout ce qu'il y a sur le piano et dans les assiettes provient du modeste domaine des Santini. Du jamais vécu dans la haute cuisine.

La table familiale, la voici en pleine lumière : vous êtes chez la mama, chez Nadia et Antonio, les « modernes » de l'aventure gourmande. Il est bien évident que c'est la génération actuelle qui a su dénicher les clés de l'éclatante réussite, sanctionnée par le Michelin italien. La culture a amplifié les dons de la nature.

Du potager biblique, Giovanni extrait la sublime courge, les herbes, les fruits, les légumes, le céleri salé, les poulets, les canards. Et l'envoûtant safran aux fragrances si violentes. Le meilleur risotto au safran du monde, c'est là. Le foie gras maison. La moutarde aux fruits de Mantoue, escorte du canard. Et, bien sûr, la pasta moulée, découpée par les deux femmes. « La pâte nous donne de l'énergie et de la créativité », dit Nadia, dans un souffle.

Alors, à table, pour les petits plats de la mama lombarde tels qu'ils occupent le cerveau du gourmet, si frustré des vérités de la cucina italiana, voici le sublime jambon « Culatello » supérieur au San Daniele. Oui, la révélation

vous l'aurez dans cette grande salle à manger à terrasse ouverte sur le jardin de curé ou d'évêque. Le chef-d'œuvre, c'est le ravioli à la ricotta et truffe blanche à peine chauffé et sa variante à la courge. Qui a jamais mieux valorisé l'humble courge ? Et tiédi les lamelles de parmesan, amuse-bouche pour le champagne - très beaux choix de cuvées de prestige à des prix doux.

Cuisine des origines et racines ? Pas tant que cela. Dal Pescatore n'est pas le conservatoire de la pasta ciutta et du risotto « al onda » - même si on touche là à l'exceptionnel, comme chez Marchesi à l'Alberetta déjà cité pour les ravioli ouverts. Nadia n'a pas l'âge de sa belle-mère, et Antonio fraternise avec Marc Veyrat et la bande des huit aux multiples courants. Qui envoie par

Excellent « nez », Antonio Santini conseille lui-même les vins.

ITALIE

La belle-mère de Nadia, l'autre reine de la pasta, du risotto et des ravioli.

fax de multiples recettes de pâtes - pour les ravioli révolutionnaires de Veyrat ? La douce

Nadia. Elle sait. Et ils savent qu'elle sait tout. À New York, le maestro Sirio Macchioni du Cirque la porte aux nues.

« Je règle ma main sur ma mémoire », dit-elle sans hausser le ton, comme si cela allait de soi. Les préparations de la tradition lombarde, les casseroles robotatives, les ragoûts fumants, viandes et riz, tout cela a meublé sa jeunesse d'étudiante en sciences-politiques et le début de l'âge mur. C'est la cuisine d'une époque d'anciennes restrictions.

Loin d'être une cuisinière du hasard, Nadia, forte d'un quart de siècle aux fourneaux, a modifié sa manière et banni l'excès, les calories et les ingrédients lourds : oui, la cuisine italienne peut être légère !

Par exemple, les farces des tortelli di zucca ne comportent plus d'œufs ni de mie de pain. Elle s'en exprime très bien : « Il faut plus de moelleux, et moins de solide. » Tout est là.

L'archéologie de la cucina - son vocable à elle - n'est pas son propos. La personnalisation des recettes de jadis, oui ; elle travaille le homard et le saumon. Pourquoi pas ?

Ainsi du pot-au-feu Santini, le plat du dimanche de l'automne au printemps. Un festin qui attire les mangeurs de toute la région. Voyez la panoplie de condiments : moutarde française, sauce verte, purée de patates à la milanaise, moutarde de fruits de Mantoue, sauce au raifort. Et pour le couteau pointu, du bœuf, du veau, des pieds

de cochon, du museum, un poulet farci aux herbes : aussi riche que le pot-au-feu à la Dodin Bouffant ! Et vous avez fait étape en pleine Italie du Nord !
Goûtez à tout. Deux repas au minimum composés par l'amphitryon Antonio. Une assiette en appelle une autre. Notez la gentillesse de l'addition et le menu cadeau.
De par ses dimensions de maison d'hôtes, Dal Pescatore est le plus petit trois étoiles d'Europe. La demeure d'amis. Le moins coûteux et celui

où l'accueil de Nadia et son époux vous transporte de simplicité. Ah ! Dieu qu'elle aime ses clients ! Nadia la mère, la mama, la sainte de la pasta : une vie de sacerdoce culinaire.

Songez que le restaurant reste ouvert désormais les dix premiers jours d'août afin de satisfaire les voyageurs désireux de s'y arrêter. On ne ferme plus à cette date de vacances, les propriétaires se doivent à leurs clients. Où voit-on - encore - cette rigueur ? Le souci de l'autre ? Rare.

Le restaurant possède une basse-cour.

Tagliatelle aux légumes d'été.

Jambon Culatello
Ravioli à la ricotta et truffe blanche
Risotto au safran
Cassatta di Sicilia al chocolat

Champagne Ruinart 92
Verdichio Riserva 94

Dîner du Millénaire

Pour Élyane et Gérard Boyer

Voici le bel Alfonso, sa moustache de séducteur, et son sourire enjôleur, suivi de la blonde Livia, l'hôtesse des lieux : encore un couple à l'italienne que le goût des bonnes choses, de la pâte, de l'huile d'olive, des légumes secs, des fruits du verger a conduit aux cimes de la grande restauration d'aujourd'hui, savante combinaison de classiques attendus et de surprises gourmandes. L'Italie des mangeurs revisitée.

Là encore, un village excentré, Santa Agata, sur les hauteurs de Salerne, dans le golfe de Naples et son ancien hôtel de famille flanqué d'une pompe à essence, à deux pas de l'église, transformé en table majeure, l'un des rares trois étoiles de la Botte : il n'y en a que trois.

Et, voyez-vous, comme Al Sorriso et Dal Pescatore, Don Alfonso 1890 n'est pas situé dans une métropole comme Milan, Rome, Naples ou Turin, mais dans un site de hasard, forgé par le talent, la créativité et l'acharnement d'un cuisinier et de son épouse. Chez nous, seule l'aventure exemplaire de Michel Bras rappelle ce genre de défi : seul contre tous.

Sans la passion de « la cucina italiana » et le souvenir des petits plats de son pépé hôtelier et restaurateur, le fringant Alfonso, la quatrième génération, aurait pu rester un humble pizzaiolo, sentinelle du feu de bois où cuit le pain à la tomate, mouillé de bonne huile et d'herbes fraîches. Après tout, le signore Iaccarino avait, à 20 ans, sa route toute tracée dans la rue princi-

Don Alfonso 1890

Le Napolitain de la modernité

pale de Santa Agata : l'hôtel familial envahi l'été de touristes multi-nationalités, rétamés par l'ardeur inexorable du soleil de Naples et la marche à pied dans la campagne. Et, diable, ils ont la dalle ces zombies venus d'on ne sait où !

Solide derrière son fourneau à charbon, respectueux des merveilles de la saison - ah ! ces lentilles et ces fraises des bois - le grand-père Iaccarino mitonne la cuisine de Naples, spaghetti vongole, risotto aux légumes, le vitello tonneto, le canard et les aubergines aux fruits confits servis le dimanche pour le dîner, accompagné de grosses salades mélangées. C'est qu'il régale ses pensionnaires le maestro ! À ses côtés, l'adolescent gouailleur attrape le virus de la poêle. On l'envoie à l'école hôtelière de Stresa où il apprend la béchamel et les principes de base extraits des œuvres complètes d'Artusi, d'Escoffier, et l'art de frire une pizza - une recette du petit peuple napolitain.

De retour chez pépé, il travaille le saumon, poisson inconnu des villageois de Santa Agata et l'ancien arpète à la main habile a la bonne idée de l'escorter d'admirables artichauts, légumes-roi du coin. C'est l'époque - 1973 - où il persuade ses parents de laisser transformer un autre petit hôtel des Iaccarino à Santa Agata en restaurant. Éberlués, ses géniteurs le prennent pour un fou, voire un illuminé de la pasta ciuta : « Quoi, tu n'as pas assez d'occupation chez nous ? La cuisine nourrit très mal son homme. Ce n'est pas comme l'hôtellerie et les nuitées prometteuses de lires ! »

Qu'à cela ne tienne, Alfonso qui n'a jamais travaillé dans un restaurant autre que celui de son père, prend possession des lieux et, avec le concours d'un maçon et de son aide, il entreprend de métamorphoser l'espace en un gentil estaminet de village. Impossible de déplacer la pompe à essence ! Par chance, le personnel est tout trouvé : les maçons troquent la truelle contre la queue de la poêle et le tour est joué. Vive le système D ! Qui disait que tous les Italiens avaient une disposition particulière pour la bouche ?

Installé chez lui avec la pulpeuse Livia, Alfonso aurait pu suivre les traces du grand-père Iaccarino et se contenter du répertoire et de la carte : la pizza en majesté. Dans la tête du Napolitain germe le projet d'aller en France s'immerger dans le bain de la grande restauration. Pêcher des idées, observer les manières et

les gens, s'imprégner du climat des tables archifameuses qui trottent dans son imaginaire. L'aura des Bocuse, Troisgros, Vergé, Guérard, l'essentiel de la cuisine nouvelle a franchi les Alpes et le jeune Alfonso, 33 ans, entraîne Livia dans ce périple initiatique accompli, un jour ou l'autre, par la plupart des grands cuisiniers étrangers. À l'exception de Marco Pierre White, l'Anglais, qui s'est contenté de lire et de reproduire les recettes majeures…

Pendant dix ans, le couple va arpenter les salles à manger des chefs-stars de l'hexagone, retenant à chaque repas quelque chose d'utile, de nécessaire, de neuf, pour sa formation.
« À la Tour d'Argent, j'ai vu l'élégance, la classe, et Claude Terrail. Chez Georges Blanc, j'ai vu le travail, l'aboutissement d'un formidable projet proche du mien : d'un village de l'Ain, tout est parti. Chez Robuchon, j'ai admiré la rigueur et

En haut du village de Santa Agata, une table au décor contemporain.

ITALIE

La superbe cave de l'époque romaine.

Des produits sains de la ferme biologique.

la simplicité. Chez Girardet, la précision des goûts. Chez Bras, le courage et le dépaysement. Pour moi, Dutournier, Veyrat, Passard, Troisgros, Boyer avec qui je suis lié par une forte amitié, c'étaient des personnages de mes rêves les plus fous, des artistes que le monde des gourmets fêtait… Moi, l'ex-pizzaiolo de la campagne napolitaine, j'étais un nain en face d'eux. Mais j'avais une furieuse envie de m'inspirer de leur expérience. Le miracle est que je les côtoie aujourd'hui comme des amis fraternels. »

Chez Pic à Valence, en janvier, un dimanche soir, il s'étonne d'un feuilleté aux fraises des bois - surgelé ? Stupéfait, le maître d'hôtel a reculé d'un pas et lancé : « Monsieur, ici, vous êtes chez Pic ! » Une leçon de choses apprise, intégrée, digérée. Peu de professionnels des casseroles ont chevillé, dans leur cerveau, la volonté de se dépasser comme Alfonso Iaccarino. D'aller au-delà des ritournelles culinaires ressassées : cet homme est d'abord un fou des bons produits et il n'en manque pas autour de son village pentu.

Ainsi, il franchira le Rubicon, comprenant qu'il doit concilier tradition et création. Fidélité et invention - le linguine aux coquillages et le bouillon à la citronnelle piqué de dés de fromage.

Et puis, Alfonso a deviné dès les premières années de son aventure que les fondements de la cuisine napolitaine prenaient racine dans le legs du passé, de l'histoire, et que les résurgences françaises dataient de Murat, le roi de Naples et des nobles émigrés. La pitance du peuple, le pain à la tomate, la pizza frite, l'aigre-doux des influences arabes - la Sicile - et les ravioli de langoustines devaient cohabiter comme chez Guy Savoy ou Pierre Gagnaire. « Seuls nous différencient la pasta et le riz. »

De la tomate avec la peau, du chapon de mer cuit à l'huile d'olive, des gnocchi de pommes de terre, des calamars farcis, du lapin poivré enrichi du foie de veau agrémenté d'aubergines, de courges et de pommes de terre à l'oignon, on lit bien l'extrême diversité de styles du Napolitain à la fougue de jeune chef.

Des yachts amarrés dans la baie, des palais napolitains et des palaces de Salerne (L'Excelsior), de Positano et l'admirable hôtel Sirenuse, surgit la fine fleur des gourmets en voyage de plaisirs. Les petites portions, chères au maestro, conviennent bien si l'on se laisse guider par la piquante Livia : rien n'est plus savant que la bonne harmonie d'un festin à la napolitaine.

Vous lirez sur la page de garde de la carte divisée en « antipasti », « primi piatti », « secondi piatti », « la tradizione », « la degustazione », cet avertissement : « tous les produits et l'huile d'olive viennent de notre ferme agricole La Peracciole » construite sur l'emplacement d'une maison de famille. Elle est vouée à la culture biologique des légumes, fruits, miels et à l'élevage de veaux. Tout comme Nadia Santini dans son auberge campagnarde, sur la route de Mantoue, les Iaccarino ont réussi à contrôler la matière première. N'est-ce pas là, à l'heure du poulet à la dioxine, le rêve secret, le but ultime de tout cuisinier qui se respecte ?

Casserole de poissons de roche avec crustacés et fruits de mer.

Calamars farcis

Bouillon à la citronnelle au fromage

Ravioli de Cacciotta aux tomates du Vésuve

Chapon de mer à l'huile d'olive et tomates

Sorbet aux fraises des bois

Greco di Tupo blanc 96

Dîner du Millénaire

Pour Roger Vergé

Il est né de parents grecs à Nairobi (Kenya) où il a décroché le titre de docteur en économie ce qui lui a permis de faire les comptes chez Caltex avant de devenir journaliste spécialisé au *Sunday Times* - pas dans la chronique de bouche mais dans celle des multinationales de l'argent-roi. Frustré de ne pas vivre de sa passion, l'art de cuire et d'assaisonner, Nico Ladenis a tout plaqué en 1966 pour visiter la France du sud, la Provence, la Côte d'Azur et ses tables de renom « afin de me pénétrer de l'esprit de la restauration française ».

Un choc : l'accueil et la gentillesse de Roger Vergé, à peine installé au Moulin de Mougins, qui l'accepte dans sa cuisine baignée de soleil et lui dévoile les secrets de la barigoule, de la cuisson de l'agneau de Sisteron, et du feuilleté aux abricots. « Jamais je n'oublierai le message de Roger Vergé grâce à qui je dois d'avoir cru en moi. »

Chez Nico

Le Grec qui aime la France

Pendant un an, Nico et sa douce épouse, une Française de Normandie, écument les bonnes adresses, de Draguignan à la Napoule (l'Oasis) en passant par Cannes, Nice et Antibes (Jo Rostang, trois étoiles). À raison de deux restaurants par jour, ils se forment un palais - la gestuelle viendra plus tard, à Londres, grâce à la lecture. Autodidacte complet, Nico Ladenis l'est à la manière de l'intellectuel qui fonde son savoir sur la connaissance des ouvrages de cuisine, le déroulement des recettes et les tours de main.
« J'ai appris la cuisine avec la même application que l'économie, en bossant matin, midi et soir. Sans les livres, je ne serais rien. »

En 1973, Nico se lance dans l'aventure de gueule. Il ouvre un restaurant en province à Dulwich où les grévistes ont la manie de couper l'électricité, une épreuve pour un début ! Six fois, il changera d'enseigne avant d'ouvrir « Chez Nico » à Park Lane, en lisière de Hyde Park, le district le plus huppé de Londres, à deux pas du mythique Dorchester rénové à coup de millions de livres par le Sultan du Brunéï - de l'or, des marbres, des lumières comme s'il en pleuvait.

Par un couloir mystérieux, les hôtes du Grosvenor Hôtel, un palace fréquenté par la clientèle basanée, peuvent accéder chez Nico pour les dîners bien arrosés de la gentry en costume de Savile Row, les dames court-vêtues, mais sérieusement bijoutées. La Swinging England, vous la trouverez dans cette salle à manger rectangulaire, murs de bois clairs, tables rondes, plafonds bas et recoins utiles pour les confidences. À midi, le lunch ne rassemble que des yuppies ou businessmen. En blazer, sans cravate, Nico déjeune chez lui avec sa femme : c'est bon signe !

C'est peu dire que « Chez Nico » est un restaurant français. On y célèbre le culte du bien manger, du savoir boire de façon classique, sans chichis ni japonaiseries : c'est ce que Nico, trapu, rond, volubile, le crâne déplumé comme Bernard Blier appelle, « la french attitude ».

La carte des mets ponctuée de *starters* et de *main courses* reprend tous les must de la cuisine à l'ancienne, langouste béarnaise et pommes paille, noisettes de veau et bouquetière de légumes, pigeon de Bresse rôti au foie gras et petits légumes, saumon aux herbes, canard au miel, turbot hollandaise, Pithiviers de ris de veau : on se croirait chez Lasserre à l'époque d'André Malraux. Une exception, le ravioli de langoustines sauce au crustacé, dans le style Robuchon.

Aucune trace d'*english food* : vous ne trouverez pas de minth sauce, pas de cumberland sauce, pas de pie à la volaille, encore moins de pudding. Vacciné par les principes du *Guide culinaire* (1902), l'élève se veut plus francophile que le maître : il n'y a qu'une seule table de la loi gourmande, elle a été façonnée par Escoffier, Fernand Point, Michel Guérard, Charles

En lisière de Hyde Park, un restaurant élégant et huppé.

ROYAUME-UNI

Nico Ladenis, promoteur des vins et des plats de la France gourmande.

Paul, le chef de Nico travaille des produits et condiments nobles.

Barrier, Roger Vergé, Pierre et Jean Troisgros, Marc Meneau, et quelques autres. Nico revendique ce legs avec ferveur. « Le respect du produit et la rigueur dans l'exécution, ce sont deux de mes axes de travail que j'enseigne à mes chefs dont l'Anglais Paul qui dirige la cuisine chez moi avec sérieux. »

En onze ans, Nico Ladenis fera le parcours Michelin jusqu'au sommet - trois étoiles en 1992 en même temps que Marco Pierre White dont le Grec à la barbiche salue « l'immense talent ». Sa femme ajoute : « Les accès de violence de Marco sont pardonnables car il vit pour la cuisine. Toute la journée, il pense à sa cuisine. »

Un mince Cohiba au bec, sa femme en face de lui, Nico contemple la salle du déjeuner - cinq tables. C'est peu. Nico me confie les affres du restaurateur installé à Londres où, non seulement il y a trop de restaurants ethniques - cent de plus d'ici décembre 1999 - et pas assez de clients connaisseurs, gourmets ou « foodistes ». Londres n'est pas Paris, capitale bénie pour les toqués qui célèbrent la haute cuisine, caviar, truffes, foie gras, le trio cher à Nico.

« À Londres, il faut manger vite, exotique et payer le moins possible, les étoilés du Michelin font peur », livre son épouse qui a vécu, trente-cinq ans durant, l'ascension chaotique du vétéran Nico, lequel reste l'un des pionniers de la grande restauration anglaise. « Tout a commencé avec Michel et Albert Roux, puis sont venus Raymond Blanc, Pierre Koffmann et moi-même, se souvient Nico. Nous avons ouvert la voie à la cuisine d'art relayée aujourd'hui par Marco Pierre White. »
On se régale chez Nico, n'en doutez point. La simplicité des assiettes - saumon mariné et caviar. Le goût vrai des noix de Saint-Jacques aux poireaux jusqu'aux petits fours, chacune des assiettes respire l'écume de la perfection. Figée par la révérence, scellée dans une sorte de netteté limpide, cette cuisine d'application satisfait l'œil et le palais, mais elle ne vous transporte pas.

C'est l'envers de Pierre Gagnaire : il manque la fantaisie, la touche personnelle, l'invention, et pour tout dire l'émotion que rien n'efface comme un sonnet de Ronsard.

Saumon mariné au caviar
Ravioli de langoustine, sauce au crustacé
Noix de Saint-Jacques aux poireaux
Noisettes d'agneau provençale, pommes Anna

Pommery brut Royal
Château Bouscaut 1995
Casa Lapostole Chili 1996

Dîner du Millénaire

Pour Albert et Michel Roux

ROYAUME-UNI

En septembre 1997, Marco Pierre White, le premier chef anglais à avoir obtenu trois étoiles - né d'une mère italienne en 1962 - abandonne les salons du Hyde Park Hôtel à Knightsbridge, tout près d'Harrods, pour réinventer le restaurant du Méridien à Picadilly. D'un grand hôtel à l'autre. Constatation : les chefs stars de Londres ont un réel penchant pour les salles à manger d'hôtel : Michel Bourdin, ancien du Maxim's d'Alex Humbert fut le premier « cook » à s'impliquer dans la haute cuisine du Connaught à Mayfair, la très élégante demeure des têtes couronnées et autres membres de la jet set internationale. Longtemps, Bourdin fut un modèle, la référence de la cuisine de palace - l'oreiller de la Belle Aurore au menu.

En lisière de Hyde Park, dans l'enceinte de Grosvenor House, Nico Ladenis fit de même et décrocha les trois étoiles. Au Waterside Inn, sur les bords de la Tamise campagnarde, Michel Roux reste, dans son paisible relais-château, le phare incontesté de l'art culinaire à la française - si apprécié des nouvelles générations britanniques.

En décembre 1999, le Tarbais Pierre Koffmann, un quart de siècle de présence en toque dans la capitale anglaise, vendait sa Tante Claire à Chelsea, l'une des cantines de luxe de Lady Diana et installait son piano, son personnel et son stylo néo-classique dans les deux salles à manger de l'Hôtel Berkeley, tout près

d'Harrods, une adresse chic et luxe - une piscine sur le toit, un restaurant asiatique « Vong » à la mode et un salon bar fumoir pour « le chatting ». Depuis, la Tante Claire mène sa deuxième vie, en toute sérénité, réanimée par Gordon Ramsay.

The Oak Room

Marco Pierre White,
le rebelle apaisé

L'installation de Marco Pierre White au Méridien, bel hôtel victorien créé par l'ex-filiale d'Air-France s'explique par les nouvelles activités du premier « beatle » des casseroles, ainsi que je l'ai baptisé en 1996. L'enfant prodige, l'orphelin pauvre sorti d'un roman de Dickens, l'ex-élève d'Albert Roux a gravi tous les échelons de la célébrité grâce à son immense talent, à sa créativité et à ses multiples activités dans la restauration londonienne. À la manière d'Alain Ducasse, Marco Pierre White est à la tête d'un empire de la fourchette et du verre. Il est le rénovateur du Critérion à Picadilly, du restaurant Mirabelle, du Café Royal, et du Titanic, six cents couverts à dîner, huit cents à boire, le week-end. Et plusieurs ouvertures sont prévues à l'aube du troisième millénaire.

Avec le groupe Granada aux multiples ressources, le fougueux Marco a créé une « joint-venture » - c'est pourquoi, il a quitté l'Hyde Park Hotel racheté par le groupe Mandarin Oriental pour émigrer au Méridien à l'Oak Room, vaste comme la galerie des glaces, « la plus belle salle de restaurant de Londres », clame Marco Pierre White présent dans la cuisine tous les jours sauf le week-end, because famille et trois enfants… «

Ma tête reste socialiste, mon action est capitaliste », dit l'ex- shooting star qui a bien du mal à endosser le costume du boss. L'homme a été marqué par la crise des années 90, par la récession économique si préjudiciable aux établissements de prestige. C'est pourquoi, l'habile Marco a infléchi son itinéraire vers l'univers des restaurants populaires, brasseries ou tables de bon rapport prix-plaisir, qui font le plein tous les soirs.

Jamais Londres n'a eu autant d'enseignes de cuisine française et d'ailleurs. Les Anglais comme les New Yorkais ont découvert le charme de la sortie du soir, de convier leurs amis au restaurant d'où cette profusion d'adresses, de cafés, de restaurants - cent nouvelles prévues l'an 2000 !
« Mon plaisir et mon ego, je les cultive à l'Oak Room du Méridien, mon business, ce sont les autres restaurants, confie le gaillard à la tignasse hippie, au regard tendre et perçant. Pour moi, l'Oak Room, ce restaurant trois étoiles offre de la magie, de l'illusion, du raffinement, c'est pourquoi il est cher, très cher. Le public des gourmets recherche ces lieux de beauté où l'environnement participe à la volupté des papilles. »
Dans l'Oak Room, il a mis ses sculptures de Giacometti et le bestiaire de Bugatti, une collection d'animaux immobiles.

Acharné de la poêle, doué d'un palais de maestro, l'étrange chez ce personnage à la fois secret et ouvert, c'est qu'il défend à mort les styles culinaires d'Escoffier à Michel Guérard. Il n'y a pas plus francophile que le rigoureux Marco, défenseur de la côte de bœuf à la moelle, du tournedos Rossini et des œufs à la neige. « La France détient la méthode, l'art de combiner les ingré-

Ancien salon de réception, l'Oak room est la table la plus chère de Londres.

ROYAUME-UNI

dients, note-t-il sans élever le ton. Tous les chefs anglais ont une dette envers la cuisine française qui a réussi à conceptualiser la vraie gestuelle. » Émouvante, la lecture de la carte des mets est un hommage à la France de la gourmandise intelligente : c'est la cuisine de fidélité par excellence. Et Marco n'a jamais mis les pieds en France ! Parfait de foie gras, ballotine de saumon, chaud-

froid d'huîtres et rémoulade de céleri aux truffes, pigeon de Bresse à la broche et petit pain de foie gras, homard grillé aux truffes, filet de bœuf Angus à la ficelle, daube de bœuf à l'ancienne, filet d'agneau aux herbes, légumes à la provençale, crème caramel et la glace de Paris, la manière White n'a rien de révolutionnaire, de provocante, de modernissime. Aucune influence étrangè-

Marco Pierre White, émule des chefs de l'hexagone, n'est jamais venu en France.

Un passionné de la faune marine.

re, à peine un peu de curry dans les huîtres, mais la rigueur hexagonale, la bonne consistance de l'assiette, la mise en valeur de produits de base. Pas de salut en dehors de la manière de Robuchon, de Meneau, de Lorain, de Boyer, de Jung - les amis de l'Italo-Anglais de Londres, ses modèles. Qui crée en cuisine ? Les Français. Après, tout est de l'interprétation.

L'imprévisible Marco Pierre White vient-il d'une autre planète, comme le pensent ses maîtres d'hôtel, ses sommeliers, son directeur Monsieur Jean ? D'Albert Roux, le fondateur, il a intégré la détermination d'être le meilleur et son étoile brille d'un bel éclat dans le firmament de la haute cuisine de Grande-Bretagne. Aucun contrat extérieur, pas de promotion de produits ni de poêles à frire, ni de tabliers blancs : son monde de plats et saveurs est à rebâtir chaque matin, quand les frigos vont se remplir.

Assiette de saumon fumé au caviar

Terrine de foie gras, gelée de Sauternes
Homard grillé aux truffes
Pigeon de Bresse à la broche au foie gras
Œufs à la neige aux pralines

Champagne Lanson 90
Connétable de Talbot 90
Porto Noval 1977

Dîner du Millénaire

Pour Daniel Benharros

Le renouveau de la restauration en Grande-Bretagne, à Londres d'abord, a pris sa source dans la fantastique réussite des frères Roux, fils de charcutiers bourguignons débarqués en 1967 dans la capitale britannique, comme deux émigrés à la recherche de la fortune, devenus avec le temps des pionniers du savoir-manger à la française. Ils avaient cinquante livres sterling en poche, parlaient peu la langue de Shakespeare mais ils avaient la foi et du cœur à l'ouvrage : la bonne cuisine c'était leur vie.

Le beau Michel, aux yeux bleus, ancien cuisinier particulier de Cécile de Rothschild à Paris et son frère Albert, court sur pattes, chef à l'Ambassade de France à Londres puis chez Lord Cazalet, patron des écuries de la Reine, ont montré la voie et enseigné au petit peuple des restaurants locaux l'art de cuire, d'assaisonner et de goûter les cadeaux de dame nature. Ils ont formé dans leurs différents établissements la bagatelle de mille cuisiniers et gourmets, prolongeant l'œuvre d'Auguste Escoffier et de César Ritz dont la trajectoire a pris racine sur les bords de la Tamise. Il y a aujourd'hui six mille restaurants à Londres, trois mille pubs et l'on peut choisir entre soixante-dix styles de cuisines différentes. C'est Babel !

« On n'imagine pas le désert gastronomique qu'était l'Angleterre de l'après-guerre, se souvient Michel Roux », debout dans la vaste cuisine du Waterside Inn, le « river cottage » où il officie

The Waterside In

Michel Roux, le bonheur au bord de la Tamise

depuis vingt-cinq ans à la tête de la brigade. « Le public des restaurants ne savait pas distinguer le bon du médiocre. Nous avons dû importer les produits de base, volailles et foies gras, avec le concours de Marks and Spencer et de British Airways. Par chance, nous étions, Albert et moi, des forcenés du travail bien fait. Leaders du goût, nous avons eu l'obligation de former des seconds. Ce que nous avions fait dans les maisons bourgeoises pouvait être adapté à la cuisine des restaurants anglais. Ainsi du soufflé suisse, du navarin d'agneau, du canard de Challans au porto et épices et des soufflés aux fruits et des mignardises que nous servons toujours. »

Tous les chefs étoilés à deux ou trois étoiles de Londres et des provinces anglaises revendiquent l'héritage des Roux Brothers qui ont su transmettre à presque deux générations de toqués l'essentiel de la gestuelle culinaire moderne. Pierre Koffmann, chef du Waterside Inn dans les années 80, rend hommage à Michel Roux, tout comme Marco Pierre White, le premier trois étoiles anglais de l'Histoire aussi - on dit même que le beatle Marco, un garçon très doué, s'est fait engager chez Albert Roux au Gavroche pour apprendre à mémoriser et voler les recettes...

La cuisine britannique du *fish and ships*, du bœuf bouilli, du pudding pâteux, des légumes sans goût, et de la bière tiède, ce cauchemar de la table s'est estompé grâce au dynamisme, à l'exemple, au talent de passeur des deux frères, remarquables pédagogues, acharnés du chinois et des réductions. Seize heures de travail quotidien, confie Albert Roux aujourd'hui consultant en hôtellerie, et propriétaire du relais gourmand Gavroche et des suites hôtelières du 47th Park Street, une excellente adresse à Londres. C'est son fils Albert qui a pris le relais, un chef volontaire, perfectionniste, néo-classique.

Le pèlerinage au Waterside Inn, à vingt-cinq kilomètres d'Heathrow, dans les environs du château de Windsor, vous replonge dans l'Angleterre du *countryside*, des paysages verdoyants, maisons blanches et rues paisibles. Au bord de la Tamise où barbotent les canards, cet ancien pub à pintes, aménagé avec amour par Michel Roux - neuf chambres avec terrasses sur l'eau - reste l'un des meilleurs relais-châteaux, un *riverside cottage* au charme désuet : c'est la

maison d'amis par excellence, un havre de calme, un refuge éloigné de la pression urbaine. C'est pourquoi le Waterside est complet tous les week-ends de l'année, et à la belle saison, en semaine, de très sérieux businessmen, les yuppies de la city en costumes rayés et Church aux pieds, s'offrent un après-midi de farniente - portables tolérés après le repas - sur le gazon ou dans les mini-pagodes plantées sur le bord de la Tamise. Le champagne escorte ces moments de douceur volés à la routine des heures.

Si les deux frères ont ouvert le Waterside Inn, c'est qu'ils s'ennuyaient le dimanche. À Londres, dans les années 70-80 cela se comprenait... Le Gavroche fermé le septième jour - trois étoiles en 1983 - que faire ? En ballade sur les rives de la Tamise, Albert et Michel tombent sur ce bistrot de village à Bray, le rendez-vous des pêcheurs et des pochtrons du coin. L'endroit a

Une auberge campagnarde au bord de la Tamise : l'english way of life.

153

ROYAUME-UNI

Navigation sur la rivière grâce au bateau à moteur du Waterside Inn.

L'intimité de la pagode après le repas.

une licence, et il est fort bien situé - c'est la campagne bienfaisante des films de Peter Greenaway. Pourquoi pas un restaurant Roux ?

Avec le temps, c'est Michel qui pilotera l'établissement, en prenant soin d'acquérir maisons et terrains alentour. C'est aujourd'hui son fief, son port d'attache, là où il mitonne civets et nages, et le florilège de soufflés salés et sucrés qui ont forgé sa réputation de maître des saveurs. Récemment, le soufflé d'aiglefin (haddock fumé) à l'aneth et son œuf poché.

En plus de trente années de présence au piano, Michel Roux n'a cessé de faire évoluer sa manière. Le disciple d'Escoffier, le prince des veloutés, le Napoléon des œufs brouillés (aux pointes d'asperges, en saison), l'Einstein de la Nantua et sauce Choron n'a eu qu'une crainte : que sa maison se fossilise dans le classicisme de plomb. Tout sauf le conservatoire des recettes figées ; l'évolution des préparations, du style de cuisine, des apprêts se lit dans le libellé des plats. Le tourteau est cuit à la vapeur, les tronçonnettes de homard sont saisies à la minute, ce qui n'empêche pas la truffe et le caviar d'agrémenter les huîtres tièdes au champagne - il s'agit de régaler les palais britanniques fous de la cuisine à la française. Oui, le Waterside Inn a bénéficié de ce large mouvement de la population, des touristes, des voyageurs aspirés par la restauration-loisir. La France reine du monde de la gueule : aucun vin étranger n'est admis chez Michel Roux.

Depuis la fin des années 90, on sort à Londres comme jamais. Les restaurants sont pris d'assaut. On a l'impression que les Anglais se donnent aux voluptés de bouche, aux vins fins, à la convivialité chaleureuse : essayez de trouver deux couverts dans une table à la mode de la capitale, un vendredi soir. Problématique !

On ne saurait négliger le fait que la reine Elisabeth II est l'une des « groupies » du chef Michel, qu'elle l'a convié à son soixante-dixième anniversaire au château de Windsor et l'a chargé du repas de famille lequel aurait dû avoir lieu

dans ses appartements du Waterside Inn - installés pour elle par Michel Roux. Rassurez-vous, ils servent aussi le commun des mortels ! Et au prince Philip, cordon bleu à ses heures, le queux a montré la façon de mitonner le gâteau de pommes de terre - avec ou sans truffes. Pour un peu, le bon Roux aurait dû être élevé au rang de pair du royaume ! Mais, ça viendra. La nation britannique lui doit bien ça.

Fricassée de turbot et langoustines aux artichauts.

Cassolette de grenouilles et ailerons de poulet avec sauce aigrelette

Filet de Saint-Pierre poché, risotto au parmesan

Nage aux morilles et pétoncles

Soufflé chaud aux mirabelles

Champagne Lanson Noble Cuvée 88
Morey Saint-Denis la Forge 92
Macon Clessé 92 grains cendrés
Cognac Frapin grande champagne

Dîner du Millénaire

Pour Fredy Girardet

SUISSE

Il a la cinquantaine sportive, le corps svelte et la tête bien faite. En Suisse, c'est l'empereur du feuilleté salé ou sucré. Gérard Rabaey, longiligne comme Antoine Westermann l'Alsacien, est un Normand pur jus (de pommes) émigré volontaire dans le pays de Vaud depuis un quart de siècle. À l'aube des années 80, ce fils de charcutier - traiteur très franco-français qui a refusé après son service militaire un poste de second chez la mère Guy à Lyon pour rester fidèle à son patron suisse - fait un malheur dans sa modeste auberge du Pont de Brent, à cinq kilomètres de Montreux.

En 1998, le Michelin a accordé la troisième étoile à ce fort en thème, gagnant de multiples concours de cuisine, et le plus fidèle disciple de Fredy Girardet, illustre retraité de Crissier, le premier trois étoiles d'Helvétie. Voyons son parcours très classique, celui d'un « possédé » de la poêle et du feu. Adopté, plébiscité par les gourmets suisses et d'ailleurs.

« J'ai toujours voulu avoir mon restaurant et marcher sur les traces de Bocuse, Troisgros, Robuchon, Chapel et Maximin, dit le discret Rabaey après le service du déjeuner, contemplant ses petites mignardises. Je savais, quand j'étais arpète dans de modestes enseignes provinciales, que je parviendrais à progresser, à élaborer des plats à moi, à sortir de la masse des cuistots dénués de toute ambition. La cuisine, les

produits à transformer, les garnitures à inventer, le travail des abats et du sucre, tout cela m'a motivé. Jusqu'au jour où j'ai rencontré Fredy Girardet. Alors, ma vie a changé. »

À l'issue d'une joute culinaire à Lausanne dont le thème était le lièvre à la Royale, Gérard Rabaey termine en tête de ses confrères toqués. « Seul Fredy Girardet aurait fait mieux », clame un chroniqueur bien informé aux stars françaises membres du jury.

C'est la première fois que le cuisinier Rabaey, pas encore chef-patron entend parler du génial Suisse, l'alchimiste du foie gras chaud à la ciboulette et des Saint-Jacques aux truffes. Il court chez lui à Crissier s'attabler dans la salle du restaurant communal encore méconnu des fins becs - et même d'Henri Gault et Christian Millau qui l'ont découvert en 1976. La table du village lausannois est tenue par l'as des as, l'Escoffier des temps modernes, le Guérard des Vaudois.

Le Pont de Brent

Gérard Rabaey, un Normand à la conquête de l'Helvétie

De cette visite de l'élève au maître va naître une amitié en acier, fondée sur la parole, les échanges professionnels et la marqueterie gourmande en duo. Rabaey sera le second cuisinier de Suisse, ex æquo avec Rochat, à recevoir la troisième étoile.

« Avant d'observer la gestuelle si dépouillée de Fredy Girardet, j'étais un bon cuisinier. Consciencieux, rigoureux, sincère, je savais mes

Une grande maison de bouche dans un village vaudois, une adresse en or massif.

limites. Du jour où Fredy m'a fait confiance, et que je l'ai fréquenté pour le salon Gastronomia, ma conception de la cuisine s'est modifiée du tout au tout. »

Ainsi peut-on comprendre pourquoi Gérard Rabaey mitonne le meilleur lapin à la moutarde du monde. Plus chic que rustique : épuré à la manière du grand Fredy. Souvenez-vous du sublimissime rognon Bolo plus nature que nature. Et de la biblique daurade à l'huile d'olive. Des instants de félicité.

« Pour moi, Girardet est à la fois un chef ultra classique, un créateur imprévisible et un super technicien, ajoute Gérard Rabaey. Il fut le premier à savoir utiliser la cuisson sous-vide. Dès 1976, pour une croisière gastronomique avec Bocuse, Guérard, Vergé et les Troisgros, il avait déniché une machine sous-vide, la seule dans

Paris, chez Lenôtre où il avait cuit sa fameuse aile de poularde aux poireaux et truffes. »

Solitaire, Rabaey est un autodidacte comme le grand Fredy. La cuisine des autres, il l'a appréhendée en allant au restaurant, chez les célébrités françaises de l'époque - et Girardet n'a pas fait autrement. Ni l'un, ni l'autre n'ont été employés par quiconque. Les messages cardinaux, leçons et expériences gourmandes sont venues à table - par le goût, les textures, les parfums et l'intuition. Et de nombreuses lectures : Rabaey a claqué une petite fortune en ouvrages, grimoires, encyclopédies de Taillevent aux ouvrages de Robuchon, Ducasse et Veyrat. Lire, c'est un peu cuire !

Le savoir-faire, un investissement sûr. Après une dizaine d'années passées dans la bonne restauration suisse, le bon Gérard et sa femme n'ont que

Entourant le chef-patron et son directeur de salle, la brigade des seconds et commis.

cent vingt mille francs français d'économies. S'installer est l'objectif du couple, le seul. Ce sera fait dans les années 70 à l'auberge de Veytaux, près de Montreux où il réussit à se forger un nom et à glaner sa première étoile. Sans coup férir : ses feuilletés arachnéens font courir les bouches fines. Et les journalistes aux papilles affûtées. Médias favorables, clients en surnombre ! Aux grenouilles, aux ris de veau, aux foies gras, aux fruits de saison, Rabaey roule et lève des feuilletés, expert incontournable de la pâte, soie craquante. Et en soufflés aux fruits. C'est gagné.

En 1980, il décide de déménager afin de viser plus haut. Sur les hauteurs de Montreux, il repère un petit hôtel délabré et fermé. Sa banque va l'aider au mieux pour accomplir la rénovation totale du bâtiment - dix-huit mois de travaux. Et pas de chambres ! Rabaey n'en veut pas. « Nous avons deux relais-châteaux tout proches, nous y envoyons les clients. »

Qui ose, en l'an 2000, se passer du sommeil qui remplit la caisse ?

Le succès au Pont de Brent s'amplifie. Les années 80-90 sont des vaches grasses pour la gastronomie suisse, en plein boom. Ce sera différent en 92 et 93, la crise. Bien secondé par son épouse de nationalité suisse - ça aide - Rabaey s'inspire de la méthode Girardet : ne travailler que des produits exceptionnels, rejeter l'à-peu-près et tout ce qui n'est pas de saison. Pas d'huîtres en été ni de foie gras, mais du homard de Bretagne.

Quand Fredy recevait de beaux saumons sauvages, il appelait l'ami Gérard. « Viens en chercher un si cela t'intéresse. » Sidéré, Gérard Rabaey l'est quand il découvre que Fredy a inscrit sur sa carte « le tournedos de homard Troisgros » - l'hommage du maître à son égal.

« Je fais partie de la génération Girardet comme son successeur Philippe Rochat avec qui je suis très lié, commente Rabaey. Personne ne peut imaginer combien Fredy nous a marqués de son empreinte. C'est le sorcier de la simplicité ; jamais plus de deux garnitures dans l'assiette. Pas de chichis ni de fanfreluches. Une extrême concision. Pendant les cinq jours annuels du salon Gastronomia au cours duquel les meilleurs chefs suisses composent un déjeuner quotidien de cent couverts, je progresse comme si je passais six mois à ses côtés. »

Le Normand au cœur d'or ne se lasse pas d'évoquer le Paganini de Crissier. Les deux hommes continuent de se fréquenter, Rabaey comprenant comme un frère le spleen de Fredy, le restaurateur sans restaurant. Comme le voyageur sans bagages et le virtuose du violon sans public, Fredy est devenu un errant qui a des biens, mais qui souffre de ne plus offrir de bonheur à ses ouailles. Fredy ou l'Hamlet des cimes culinaires.

Marbré de boléts et chanterelles à la vinaigrette.

Une à deux fois par semaine, Fredy téléphone à Gérard qui l'invite à savourer d'admirables haricots verts, un dartois improvisé ou un pithiviers aux cerises, les « must » que Rabaey a rayés de sa carte en mouvement perpétuel. Pour Fredy, il y aura toujours de la pâte feuilletée !

Pendant les deux services, Rabaey fait de la cuisine. Il ne saurait se contenter de lire les bons de commande, et de veiller au passe, l'œil aux aguets et le moulin à poivre à la main. S'il inspecte d'un regard bref les assiettes de ses seconds, il exécute lui-même ses créations, il fourre les tourteaux dans les cannelloni, cuit les cuisses de grenouilles et farcit les lasagnes de langoustines de chair d'araignée - un pur chef-d'œuvre. « Je suis en manque si je ne réalise pas ces plats moi-même. »

Finesse des saveurs, sens aigu de la perfection, harmonie de la présentation dénuée de « japonaiseries », Rabaey s'est pénétré à merveille, tout comme Philippe Rochat, des principes de Girardet « à qui je rendrai hommage toute ma vie ». L'homme a la reconnaissance du cœur. Il se nourrit du bonheur des autres qui s'attablent chez lui, ainsi que le voulait Brillat Savarin. Encore un maître !

Grecque de langoustines

Cannelloni de tourteau

Lapin à la moutarde

Arlette aux abricots

Soufflé aux fraises des bois

Champagne Lanson 85
Chardonnay de Vaud 96

Dîner du Millénaire

Pour Michel Vidoudez

Un simple panneau, sur la place de l'hôtel de ville à Crissier, dans la banlieue de Lausanne, indique que Fredy Girardet, cuisinier, a été fait « bourgeois d'honneur » du village en août 1998, soit moins d'un an après son départ du très fameux restaurant qui a porté son nom pendant plus de trente ans. Juste hommage rendu au plus grand cuisinier suisse. Désormais vous êtes « place Fredy Girardet ». À la fin 1997, le génial Suisse à la crinière blanche, sacré cuisinier du siècle en 1989 en même temps que Paul Bocuse et Joël Robuchon, abandonnait la partie et transmettait les clés, les secrets et la brigade de son restaurant au fidèle Philippe Rochat depuis dix-sept ans à ses côtés. Le fils spirituel prenait la place du maître incontesté - Fredy, le guide, le phare, le modèle accompli du chef-patron contemporain doté d'un savoir-faire, d'une fécondité, d'une éthique exemplaire grâce à laquelle il a pu réjouir le palais, le cœur et l'âme de dizaines de milliers de gourmets. Grâces soient rendues à ce fils de bistrotier lausannois dont le corpus de plats admirables - aile de poularde aux poireaux et truffes, foie chaud à la ciboulette - restera gravé dans la mémoire de ceux qui ont eu la chance d'effectuer le pèlerinage à Crissier.

« Un matin du printemps 1992, Fredy m'a demandé si l'idée de reprendre son restaurant me tentait, raconte Philippe Rochat, brun, trapu, sosie du chef français Christian Constant.

Rochat

Le queux helvète et la blonde marathonienne

J'ai réfléchi longtemps. J'ai consulté les banques et mes relations afin de poser le problème en termes financiers. C'était jouable. Girardet se sentait démotivé. À la fin 97, nous avons conclu l'affaire : Fredy Girardet me vendait le restaurant de l'Hôtel de Ville à l'exception des grands crus de la superbe cave et s'en allait. Une page était tournée dans son itinéraire et un singulier challenge s'ouvrait devant moi. »

Un fardeau. Quitte ou double. Succéder au géant Fredy Girardet tenait du défi. « Qui pouvait égaler le meilleur cuisinier du monde, se souvient le fringant Rochat ? Qui pouvait prétendre continuer sa grande œuvre, même si rien ne changeait dans le répertoire des mets, le type de cuisine très française, les fournisseurs - et l'état d'esprit du personnel, quarante-six employés ? Inconscient, je me suis jeté à l'eau à quarante ans avec l'idée de m'exprimer à travers mon style culinaire. Pendant quelques mois, j'ai frôlé le précipice. Le K.-O. technique. »

Versatile, de nature circonspecte, prudent à l'extrême, le gourmet suisse a pris son temps pour revenir à Crissier : Girardet parti, le restaurant de l'Hôtel de Ville n'était plus comme avant. En quelques mois, Rochat perd la troisième étoile et le tiers des clients. Il y a des creux dangereux aux déjeuners et Rochat se demande, son bilan mensuel en main, s'il n'aura pas à procéder à des coupes sombres dans le personnel « ce qui déstabiliserait la marche du restaurant pour les dîners et les week-ends chargés ».

Par chance, son épouse, la toute menue Francesca Suisse Allemande, gagne cet automne 97 le marathon de New York devant huit mille femmes… Un exploit historique pour le sport helvète d'autant que la championne aux jambes marathonienne aux semelles d'azur et son queux aux doigts de sorcier cuiseur. Ainsi Rochat parvient-il à tenir la barre jusqu'au retour de la troisième étoile Michelin - merci Bibendum pour ce bon choix.

L'hôtel de ville de Crissier où se trouve le restaurant Rochat tout neuf.

et cœur d'acier est avocate et seconde son chef de mari à la caisse et à l'administration du restaurant. Quel couple ! Un duo de haute curiosité : les voluptueux plaisirs de bouche associés à la beauté de la course à pied. Il faut voir ça. L'Helvétie en est toute remuée. Pensez donc, un si petit pays abrite un ménage de « top stars » !

De fait, le restaurant, en petite vitesse, se remplit d'une clientèle avide de contempler la

Comment aurait-il pu en être autrement ? Le surdoué Rochat a vécu la vie du restaurant Girardet du matin au soir, de l'arrivage contrôlé des poissons, volailles, légumes et fruits jusqu'à l'exécution des deux repas - et cela pendant dix-sept ans. Un bail. Quels seconds ont effectué un si long séjour auprès du chef ? C'est peu dire que Rochat était le bras droit de Fredy Girardet, c'était l'*alter ego*, le double - comme Michel Menant le fut pour Alex Humbert à la belle époque de Maxim's.

161

SUISSE

Une salle de restaurant aux lignes dépouillées sans chichi ni faux luxe.

Rochat a tout vu, tout analysé, tout vérifié de l'héritage de Fredy l'unique. Il est le dépositaire de son message, de ses méthodes, de son sens inné de la perfection - cette exigence quotidienne jamais apaisée. Misanthrope, d'humeur changeante, d'une nature insatisfaite, Fredy a donné son temps, jours et nuits, à l'accomplissement de sa vocation de cuisinier et il en a été gratifié par la reconnaissance de tous les gourmets de la planète, jusqu'à la TV japonaise retransmettant un dîner en direct…

Rochat sait tout cela quand il prend les rennes de la maison et que Fredy rode encore dans les parages des lieux. Comment rompre avec un passé si chargé de choses belles et bonnes ? Comment effacer, un beau matin, les traces et se démettre du poids si léger de la gloire du maître queux ?

N'être plus rien après avoir été tout. Le rêve de n'importe quel gâte-sauce mille fois dépassé : Fredy Girardet, Joël Robuchon et Paul Bocuse ont été les chefs-stars emblématiques de la cuisine

Une quinzaine de seconds, chefs de partie et commis pour cent couverts par jour.

du XXᵉ siècle - au-delà de ce que fut la célébrité d'Auguste Escoffier et Fernand Point. Le Suisse faisait mine de n'en rien paraître, attaché qu'il était au destin de son établissement. Le jour où Rochat, comme prévu par les engagements signés l'a reconduit à la porte du restaurant, le beau Fredy s'est retrouvé, seul avec son argent, lui-même et le vide. Son restaurant lui manquait, et tout était dépeuplé. Devenu le restaurateur sans restaurant comme le voyageur sans bagage de Jean Anouilh, le chevalier à la

triste toque n'avait que ses yeux pour pleurer. Et un seul ami, Gérard Rabaey chef trois étoiles du Pont de Brent près de Montreux pour lui remonter le moral à coups de darioles dorées et de feuilletés aux framboises sauvages…

Quelle leçon de vie pour les générations à venir ! Un grand queux sans ses fours c'est comme un acteur sans théâtre. Une existence à demi fracassée, dénuée d'élan, de frissons, de beaux moments. Le cuisinier privé de son public, à qui

SUISSE

transmet-il sa joie de cuire ou d'assaisonner ? Au début 1998, le restaurant a été débaptisé. L'enseigne « Girardet » a disparu, et l'établissement redécoré par les soins du nouveau propriétaire, salle claire, tableaux modernes, confort sans luxe, a retrouvé son nom originel : « L'Hôtel de Ville » et la mention Philippe Rochat. Loin d'être un camouflet pour Fredy, il y a là un souci de clarté et de vérité que le Michelin défenseur de ses lecteurs apprécie.

Comme pour maintenir vivantes la manière et la créativité du maestro, Philippe Rochat a gardé le sublime rognon de veau Bolo juste cuit au beurre, sel et poivre, la poularde truffée sous la peau au coulis de poireaux, le canard nantais rôti rosé au vin de Brouilly, l'arachnéen soufflé aux fruits de la passion - des plats inégalés en Europe par la simplicité du travail, le respect du produit de base tel le canard mouillé de vin à la chair fondante, d'une sublime ingénuité.

Du maestro Fredy, Rochat a intégré dans son art le sens et l'obsession de la perfection, c'est-à-dire que l'assiette vue et envoyée par le chef ne peut pas être plus achevée. La poularde truffée est comme elle doit être. Aboutie.

Plus qu'une succession, c'est une filiation plus authentique, plus naturelle, plus logique que si Girardet avait confié son restaurant à son rejeton. Les fils tuent le père, à tout le moins le trahissent, pas le disciple. On le voit bien à l'attachement viscéral que Rochat porte à la tradition et au style français façon Guérard, Loiseau, Blanc, Troisgros père et Ducasse à Paris. Aucune préparation ne dévie d'un classicisme net, droit et ample : le chaud-froid à l'oscière rehaussant le velouté d'huîtres, la tourte de truffes aux car-

Ballade dans le vignoble vaudois : Rochat défend les vins suisses.

Canard nantais au vin de Brouilly et truffes.

dons de Crissier sortie d'Alexandre Dumas ou de chez Alain Chapel, et ces divines côtelettes d'agneau de Sisteron à la sarladaise (cent soixante deux kilos de truffes en 1998). Aucune citation asiatique ou japonaise, pas de mode passagère, ni d'errances mais « une base vraie, le fruit de mon savoir, de mon passé culinaire. Et j'aime tant faire plaisir ! »

L'avenir est tracé. La maison tourne, les emplois sont assurés, la brigade de cuisine bien étoffée, Rochat présent à chaque service, l'œil à tout - même aux bouquets de fleurs du sous-sol - et des fidèles comme le chroniqueur lausannois Michel Vidoudez, assurent que la chère est aussi goûteuse et emballante que du temps de Girardet. Joli compliment pour le second devenu le premier.

Velouté léger de cerfeuil et huîtres de Zeeland au chaud-froid à l'osciètre

Tourte de truffes noires aux cardons de Crissier

Canard rouennais à la bigarade fondue de légumes à l'estragon

Feuilleté chaud caramélisé de figues au coulis de framboises

Soufflé aux fruits de la passion

Merlot 97 de M.T. Chappaz
Gamaret rouge 97 B. Cavé
Tokay 5 puttonyos

Dîner du Millénaire

165

Itinéraire des restaurants d'Europe

FRANCE

Alain Ducasse
59, avenue Raymond Poincaré 75116 Paris.
Tél. 01.47.27.12.27. *F. sam.et dim. et juill.*
Hôtel du Parc limitrophe - Tél. 01.44.05.66.66.

L'Ambroisie - Bernard Pacaud
9, place des Vosges 75004 Paris - Tél. 01.42.78.51.45.
F. dim. et lun., vacances scolaires de février et trois semaines en août.

Arpège - Alain Passard
84, rue de Varenne 75007 Paris - Tél. 01.45.51.47.33.
F. sam. et dim.

Lucas Carton - Alain Senderens
9, place de la Madeleine 75008 Paris.
Tél. 01.42.65.22.90. *F. lun. midi et dim. et août.*

Pierre Gagnaire
Hôtel Balzac 6, rue Balzac 75008 Paris.
Tél. 01.44.35.18.25. *F. sam. et dim. midi,*
du 14 juill. au 15 août, Noël et fév.

Taillevent - Jean-Claude Vrinat
15, rue Lamennais 75008 Paris. Tél. 01.45.61.12.90.
et 01.44.95.15.01. *F. sam. et dim. et août.*

Auberge de l'Éridan - Marc Veyrat
13, vieille route des Pensières, Veyrier du Lac
(près d'Annecy). Tél. 04.50.60.24.00.
F. lun. et nov. déc. janv. Chambres et appartements.

Auberge de l'Ill - Haeberlin
Illhaeusern 68150 Ribeauvillé - Tél. 03.89.71.89.00.
F. du 1ᵉʳ fév. au 7 mars, lun. et mar.
Chambres et hôtel de la Clairière à 1 km.

Buerehiesel - A. Westermannn
Place de l'Orangerie 67000 Strasbourg.
Tél. 03.88.45.56.65.
F. du 3 au 18 août, du 24 déc. au 6 janv., du 21 fév. au
2 mars, mar. et mer. Hôtel des Rohan. Tél. 03.88.32.85.11.

La Côte d'Or - Bernard Loiseau
2, rue d'Argentine 22120 Saulieu.
Tél. 03.80.90.53.53.
Pas de fermeture. Chambres.

La Côte Saint-Jacques - Michel Lorain
14, Fbg de Paris 89300 Joigny - Tél. 03.86.62.09.70.
F. du 3 au 27 janv. Chambres.

Les Crayères - Gérard et Élyane Boyer
64, bd. Henry Vasnier 51100 Reims (Marne).
Tél. 03.26.82.80.80.
F. du 23 déc. au 12 janv., lun. et mar. au déj. Chambres.

Le Crocodile - Émile Jung
10, rue de l'Outre 67000 Strasbourg (Bas-Rhin).
Tél. 03.88.32.13.02.
F. du 12 juill. au 2 août et du 23 au 30 déc., dim. et lun.
Hôtel Beaucour. Tél. 03.88.76.72.00.

Georges Blanc
01540 Vonnas (Ain). Tél. 04.74.50.90.90.
F. du 3 janv. au 13 fév. et lun. et mar. soir sf l'été.
Chambres.

Le Jardin des Sens - Les Frères Pourcel
11, av. Saint-Lazare 34000 Montpellier (Hérault).
Tél. 04.67.79.63.38.
F. du 2 au 31 janv., dim. et lun. midi. Chambres.

Lameloise - Jacques Lameloise
3, place d'Armes 71150 Chagny-en-Bourgogne.
Tél. 03.85.87.65.65.
F. du 22 déc. au 27 janv., mer. et jeu. midi. Chambres.

Le Louis XV - Alain Ducasse
Hôtel de Paris, place du Casino 98888 Monte Carlo,
principauté de Monaco. Tél. (00.377) 92.16.30.01.
F. du 30 nov. au 27 déc., du 15 fév. au 3 mars et mar.
et mer. sf l'été.
Chambres.

Michel Bras
Route de l'Aubrac 12210 Laguiole - Tél. 05.65.44.32.24.
F. lun. et mar. midi, et de fin oct. à avril.
Chambres.

Paul Bocuse
40, rue de la Plage 69660 Collonges-au-Mont d'Or
(à 12 km de Lyon). Tél. 04.72.42.90.90.
Ouvert toute l'année sf 31 décembre 1999.
Pas de chambres. À Lyon, Hôtel Royal, place Bellecour.

Les Prés d'Eugénie - Michel Guérard
40320 Eugénie-les-Bains - Tél. 05.58.05.06.07.
F. du 1ᵉʳ au 17 déc. et du 3 janv. au 6 fév. et le mer.
et jeu. midi. Chambres et appartements dans les quatre
résidences.

Troisgros
Place Jean Troisgros et de la Gare 42300 Roanne
(Loire). Tél. 04.77.71.66.97.
F. du 3 au 18 août, fév. et mars. Chambres.

ALLEMAGNE

Im Schiffchen - Jean-Claude Bourgueil
Kaiserwerther markt 9, 40489 Düsseldorf.
Tél.(0049) 0211.40.10.50.
F. dim. et lun. Hôtel AM Schwann à 10 minutes.

Schlosshotel Lerbach - Dieter Müller
51465 Bergish Gladbach. Tél. (0049) 02.202.20.40.
F. dim. et lun. sf l'hôtel, du 12 juill. au 3 août, et janv.

Schwarzwaldstube
Hôtel Taube Tonbach, Tonbachstrasse 237, 72270
Baiersbronn Tonbach (à une heure de Strasbourg).
Tél. (0049) 07.442.49.20. *F. lun. et mar. sf jours fériés,
du 12 janv. au 3 fév. et du 3 au 25 août. Chambres.*

BELGIQUE

Bruneau - Jean-Pierre Bruneau
75, av. Broustin 1080 Bruxelles.
Tél. (0032) 02.427.69.78.
*F. mar. soir, mer. et jeu. fériés, août et du 1er au 10 fév.
Chambres à l'hôtel SAS Radisson ou Hilton dans
Bruxelles.*

Comme chez soi - Pierre Wynants
Place Rouppe, 33 1000 Bruxelles.
Tél. (0032) 02.512.29.21. *F. dim. et lun., juill. et
Noël / Nouvel An. Chambres hôtel Amigo.*

De Karmeleit - Gert Van Heike
Langestraat 19 B-8000 Bruges.
Tél. (0032) 050.33.82.59.
*F. dim. soir, et lun., fin août et début sept. et janv.
Hôtel Die Swanee à 300 mètres.*

ESPAGNE

Arzac - Juan Mari et Helena Arzac
Alto de Miracruz 21, San Sebastian 20015.
Tél. (0034) 943.27.84.65.
*F. dim. soir et lun., du 14 juin au 1er juill. et nov.
Chambres à l'hôtel du Palais à Biarritz.*

El Bulli - Ferran Adriá et Juli Soler
Calle Montjoi 17480 Rosas (à 50 km de Perpignan).
Tél. (00972) 15.04.57.
*F. lun. et mar. sf l'été et du 15 oct. au 15 mars.
Hôtel Almadraba à Rosas.*

El raco de can Fabès - Santi Santamaria
6 San Joan 08470 San Celoni, Catalogne
(à 30 minutes de Barcelone par l'A7).
Chambres à l'hôtel Suisse.

ITALIE

Al Sorriso - Luisa Valazza
28018 Soriso. Tél. (0039) 0322.98.32.28.
*F. lun. et mar. midi, Noël et jour de l'An,
et du 5 au 24 août. Chambres.*

Dal Pescatore - Nadia Santini
Canneto sull'Oglio 46013 Runnate (à 38 km de
Mantoue). Tél. (0039) 0376.72.30.01.
*F. lun. et mar. et 3 semaines en août, Noël et janv.
Chambres à l'hôtel Margot, à 2 km.*

Don Alfonso 1890 - Alfonso Iaccarino
Santa Agata (à 10 km de Salerno).
Tél. (0039) 081.878.00.26.
F. lun. et mar. sf l'été et janv. Hôtel Excelsior à Salerno.

ROYAUME UNI

Chez Nico at Ninety Park Lane
Grosvenor House, Park Lane W1A Londres.
Tél. (0044) 0171. 409.12.90.
*F. sam. midi, et dim., Pâques et Noël. Chambres au
Dorchester ou au 47th Park Street chez Albert Roux.*

The Oak Room - Marco Pierre White
Hôtel Méridien Picadilly 21 Picadilly W1V Londres.
Tél. (0044) 0171. 437.02.02.
*F. sam. midi, et dim., 2 semaines en août, Noël et jour
de l'An. Chambres.*

The Waterside Inn - Michel Roux
Ferry Road, Bray-on-Thames (à 25 km de Heathrow).
Tél. (0044) 01628. 62.06.91.
*F. mar. midi et dim. soir et Noël jusqu'au 28 janv.
Chambres.*

SUISSE

Le Pont de Brent - G. Rabaey
Brent, Vaud (à 5 km de Montreux).
*F. dim. et lun. et du 18 juill. au 9 août, Noël et jour de
l'An. Chambres à l'hôtel du Raisin à Cully (Vaud).*

Rochat
9, rue de l'Yverdon, Crissier (à 6 km de Lausanne).
Tél. (0041) 021. 634.05.05.
*F. août, Noël et jour de l'An, dim. et lun. Chambres à
l'Ibis de Crissier, à l'hôtel d'Angleterre à Genève.*

Textes et légendes : Nicolas de Rabaudy
Photographies : Jean-Claude Amiel
Maquette : Michel Labarthe
Suivi éditorial : Bénédicte Baussan
Photogravure et impression : Agence Le Sanglier
Reliure : S. I. R. C.

Achevé d'imprimer le 15 novembre 1999
pour le compte des éditions Hermé.
© 1999 by éditions Hermé, Paris, France.
ISBN : 2 86665 292 4